Truman Capote

One Christmas
Un Noël

Traduit de l'anglais
par Henri Robillot

The Thanksgiving visitor
L'invité d'un jour

Traduit de l'anglais
par Georges Magnane

Préface et notes d'Henri Robillot

Gallimard

Les traductions de *Un Nöel* et de *L'invité d'un jour*
ont été entièrement revues et corrigées par Henri Robillot.

PRÉFACE

« *Rosebud* », *murmure Orson Welles, alias Citizen Kane expirant, dans son palais de Xanadu. Et sa luge d'enfant, qui porte ce nom, apparaît sur l'écran, dévorée par les flammes.*

« *Maman, maman, c'est moi, Buddy* », *dira à l'instant de mourir Truman Capote, retrouvant le nom que lui donnait sa vieille cousine Sook quand il était petit. Il vient d'avoir soixante ans et s'éteint, miné par l'alcool, les drogues, le désespoir, penché une dernière fois sur sa lointaine et mélancolique enfance.*

À cinq ans, il a été abandonné par ses parents. Sa mère, Lillie Mae, « la plus belle fille de l'Alabama », avait épousé à dix-sept ans Arch Persons, dragueur, beau parleur, affairiste douteux, aigrefin dans l'âme et que sa quête éternelle et infructueuse de la fortune finira par conduire à Sing Sing. Arch et Lillie habitaient un hôtel de La Nouvelle-Orléans. Souvent seule, Lillie Mae, coquette et frivole, sortait le soir s'amuser après avoir bouclé le bébé à double tour. Truman n'oubliera jamais les angoisses, les crises de terreur, les

7

cauchemars de ces heures mortelles de séquestration. Recueilli par des parents de sa mère à Monroeville dans une maison où règne un climat souvent orageux, il est comme orphelin. Seule Sook, une vieille cousine timide et naïve au point d'être jugée simple d'esprit par ses sœurs querelleuses et son frère, s'attache au petit Truman, comme elle incompris et solitaire. Elle qui sait à peine lire lui apprend à déchiffrer le livre de la nature. « Avec notre chienne Queenie et la vieille cousine Sook, nous allions nous promener dans les bois. Nous cherchions des fleurs, des asperges sauvages. Nous attrapions des papillons et les relâchions. Nous prenions des perches et les rejetions dans le ruisseau. Quelquefois, nous trouvions des champignons énormes et Sook disait que c'était là que vivaient les elfes. » « L'amour de Sook pour Truman, raconte une de ses tantes, était presque antinaturel par son intensité. Dans sa solitude, elle se raccrochait désespérément au petit garçon comme un homme qui se noie se cramponne à un bout de bois. Peut-être sentait-elle en Truman une âme sœur. Ils étaient tous deux délaissés. »

Et tous deux étaient des êtres à part. Sook parce que son innocence d'enfant la tenait à l'écart du monde des adultes et Truman parce que ses traits délicats, sa frêle charpente et ses tendances féminines heurtaient la conception que se faisaient les autres de l'aspect et du comportement d'un « vrai garçon ».

Cependant, en classe, son institutrice, dit-il, lui en veut parce qu'il lit trop bien — « Je me souviens d'avoir lu L'île au trésor quand j'avais cinq ans » — mais il ne

sait pas, ne saura jamais réciter l'alphabet. Il n'a de goût que pour la lecture et l'écriture. « J'ai commencé à écrire à huit ans. Je veux dire sérieusement. Si sérieusement que je n'osais en parler à personne. Je passais des heures tous les jours à écrire sans rien montrer à mes professeurs. »

Cette passion de l'écriture ne le quittera jamais. Il a onze ans quand le Mobile Register lance un concours d'écrivains amateurs. Lauréat, Truman est publié et son « reportage » sur des voisins à Monroeville suscite un petit scandale. Adolescent, il gagnera plusieurs concours littéraires ouverts par des magazines. « À seize ans, j'étais un écrivain chevronné, dira-t-il. Techniquement, j'avais compris tout le mécanisme. »

Entre-temps, Lillie Mae a retrouvé Joseph Garcia Capote — qu'elle avait rencontré en 1925 à La Nouvelle-Orléans. Fils d'un colonel de l'armée espagnole à Cuba, c'est un homme riche à la situation stable. En dépit des jérémiades d'Arch, Lillie Mae divorce et huit jours plus tard, le 24 mars 1932, épouse Capote (prononcer Capoti) dont le beau-fils cessera trois ans plus tard de s'appeler Truman Streckfus Persons pour devenir Truman Capote.

Remariée, riche, sa mère l'a repris avec elle. Après la précarité et l'existence primitive de Monroeville, Truman connaît le confort, le luxe. Il découvre aussi l'alcool. Le chauffeur qui le conduit en classe lui achète en secret du whisky et de la liqueur de cassis dont il fait une mixture. « Je passais le reste de l'après-midi à écrire et à siroter ce mélange. » Il ne cessera de boire que de

quinze à dix-huit ans. Croyant le viriliser, Lillie Mae l'a inscrit dans une école militaire, la St John Military Academy, dans la banlieue de New York. Brimé, persécuté, proie sexuelle des cadets les plus forts, Truman comparera ce calvaire d'un an à celui des jeunes détenus trop jolis traqués dans les prisons. Petit, « gracieux comme une poupée chinoise », les traits fins, la voix haut perchée, la démarche affectée, le regard tendre, Truman passe aux yeux de tous pour une poule mouillée, un efféminé. Jamais sa mère ne lui pardonnera son homosexualité, même lorsqu'il sera riche et célèbre. D'autant qu'il n'en fait pas mystère. À seize ans, provocateur, il déclarera à une amie de Monroeville : « Je serai une tante, un pédé, un homo brillant et raffiné, ou pour être correct, dirai-je, un homosexuel. »

En juin 1939, les Capote ont quitté New York pour Greenwich, Connecticut. Truman, délivré de l'enfer de St John, rentre à Trinity School, une des meilleures écoles privées de New York. Il lit tout, peut parler de tout, fascine ses camarades, ses professeurs, mais ses résultats sont médiocres. « La seule raison qu'on peut avoir de faire des études, dit-il, c'est de vouloir devenir docteur, avocat ou un technicien quelconque de haut niveau, mais si vous voulez être écrivain et que vous en êtes déjà un, vous n'avez aucun motif d'aller au collège. »

En juin 1942, six mois après Pearl Harbor, les Capote émigrent à New York, s'installent au coin de Park Avenue et de la 87e Rue, le quartier chic de l'East Side, dans l'appartement où Lillie Mae, en proie à une

10

crise éthylique, se suicidera en janvier 1954. Déjà réputé pour sa causticité, sa drôlerie, son anticonformisme, Truman, grâce à une amie de jeunesse, Phoebe Pierce, rencontre Oona O'Neil et Gloria Vanderbilt. Les portes du grand monde s'ouvrent à lui. Les jeunes gens deviennent inséparables, hantent les cabarets élégants de Manhattan, l'El Morocco, le Stork Club. Dans un poème en forme de profession de foi, Truman affirme :

> Tel le puissant condor
> aux ailes de rapace
> contre le ciel de cuivre
> j'attends et guette ma proie.
> Ma victime est l'immortalité.

Truman devient grouillot au célèbre hebdomadaire New Yorker *qui refuse de lui ouvrir ses colonnes, mais deux magazines féminins en vogue, le* Harper's Bazaar *et* Mademoiselle, *toujours à l'affût de talents nouveaux, vont publier ses premiers récits,* Miriam, Ma version des événements, La bonbonne d'argent, Un arbre de nuit. *Le jeune condor du poème a déployé ses ailes.*

Truman, salué à vingt ans comme le nouveau talent le plus prometteur de l'année, rencontre Carson McCullers qui le fait admettre à Yaddo, une colonie d'écrivains près de Saratoga. Le jeune lionceau du monde littéraire y captive tout le monde, entretient une double liaison avec Howard Doughty, séduisant profes-

11

seur à Harvard, et Newton Arvin, éminent critique littéraire. Le « wunderkind » de Yaddo devient le poulain favori de la maison d'édition Random House. Il y est considéré comme « un pur-sang, un cheval de courses qu'il faut entretenir et choyer ».

Et en 1948 paraît Les domaines hantés, son premier roman. Y sont évoqués tous les thèmes qui dominent son œuvre : la solitude, la valeur sacrée de l'amour, les espérances déçues, la perversion de l'innocence.

« C'est, dit-il, un poème en prose dans lequel j'ai transcrit tous les problèmes affectifs personnels en les transformant en symboles psychologiques. Chacun des personnages représente un aspect de moi-même. Le thème central était la recherche du père, un père qui était, au sens le plus profond du terme, inexistant. »

L'accueil fait au livre est mitigé, mais le livre est salué par l'un comme « une météorite éblouissante », par l'autre comme « une œuvre d'une extraordinaire virtuosité littéraire ». « Truman Capote, dira Norman Mailer, est l'écrivain le plus parfait de ma génération. » Et William Styron verra en lui « un homme au talent presque unique ».

Devant le concert des louanges, Truman s'étonnera. « Stupéfiant qu'un être aussi jeune puisse écrire aussi bien. Stupéfiant ? Je n'avais tout simplement pas cessé d'écrire depuis quatorze ans. »

Et il déclarera : « J'ai su toute ma vie que je pouvais prendre une poignée de mots et la lancer en l'air, et qu'ils retomberaient dans l'ordre voulu. Je suis un Paganini sémantique. »

Les domaines hantés *vient en tête de la liste des best-sellers. Pour Truman, libéré des soucis matériels, commence une carrière d'écrivain à part entière. L'Europe, où sa réputation l'a précédé, l'attend. À Paris, l'enfant prodige charme Colette, séduit Cocteau qui voit peut-être en lui surgir le fantôme de Radiguet. Puis c'est l'Italie qu'il découvre en compagnie de Tennessee Williams et qui deviendra pour lui une terre d'élection. Rentré à New York, sa longue liaison avec Newton Arvin s'achève. Survient un important tournant dans sa vie, la rencontre de Jack Dumphy, ex-danseur séparé de sa femme, une étoile de la comédie musicale à Broadway. Ce sera l'homme de sa vie. Il l'enlève et sa conquête se fonde sur une théorie qui lui est chère : « Si vous voulez vraiment une chose, vous l'obtenez quelle qu'elle soit. Il faut vraiment la vouloir, y appliquer sa volonté vingt-quatre heures sur vingt-quatre, mais si vous y mettez toutes vos forces, vous l'obtiendrez. »*

Et quand Truman s'embarquera de nouveau pour l'Europe et y séjournera, soit en Suisse soit en Italie, ce sera avec Jack.

Avec le succès, il est devenu la coqueluche du jet-set. Mondain à ses heures, il accepte l'étiquette de snob, se délecte de son intimité avec ses « femmes cygnes », Elizabeth Taylor, Gloria Guiness, Marilyn Monroe, Lee Radziwill, Jackie Kennedy, Marella Agnelli, avec divers milliardaires triés sur le volet. Son accession au monde des riches est pour lui une revanche, mais il place très haut la barre de la fortune. « À notre époque, il faut

posséder au moins cinquante millions de dollars. » Et finalement, ce qui distingue vraiment les riches des autres, c'est qu'« ils vous servent des légumes merveilleux, des légumes et des viandes d'une incroyable fraîcheur ».

Dans les nouvelles qui paraîtront après Les domaines hantés, *et son second roman,* La harpe d'herbes, *Truman se retournera toujours avec nostalgie vers ses souvenirs d'enfance, ces souvenirs qui, dit-il, « lui brisent le cœur », vers la cousine Sook, vers des lieux au charme pour lui irremplaçable.*

Avec De sang-froid, *son œuvre la plus connue, où il relate le procès et la longue attente de la mort de Perry Smith et Richard Hickock, condamnés pour le massacre d'une famille au Texas, Truman parfait ce qu'il a appelé le « roman non-roman ». Il avait inauguré cette technique dans* Les muses parlent, *reportage sur une tournée en U.R.S.S. de la troupe de* Porgy and Bess, *l'opéra de Gershwin. Son ambition est d'élever le journalisme au niveau de la littérature. « Faire que l'événement relaté revienne à la vie, dit-il. Pour moi, c'est la façon dont je conçois l'art. L'art et la vérité peuvent partager le même lit. »*

Le retentissement de De sang-froid *est considérable. Dans le monde entier, le tirage atteindra quinze millions d'exemplaires ; mais de cette éprouvante expérience qui l'a absorbé plusieurs années, de cette double exécution dont il sera témoin, il ne se relèvera jamais tout à fait. Ce fut « un travail épuisant, angoissant, débilitant et tellement triste ».*

Voyages, reportages, scénarios jalonnent la vie d'un écrivain désormais célèbre.

Pour Truman, ciseleur de phrases, la concision est un impératif absolu. Il reproche à la plupart des écrivains, même les meilleurs, de « surécrire ». Et son souci constant de « sous-écrire » fera de lui un maître de l'art de la nouvelle, « l'art le plus difficile, car il exige le maximum de rigueur et de précision ».

En 1966, il donne en l'honneur de Kay Graham, rédactrice en chef du Washington Post, *un bal masqué en noir et blanc où cinq cents célébrités se pressent dans les salons du Plaza. « C'était une fête dont un petit garçon de La Nouvelle-Orléans avait toujours rêvé », dira l'une de ses amies de jeunesse. Ce fastueux caprice lui coûtera 150 000 dollars.*

Il avait dit de Proust : « J'ai toujours eu le sentiment qu'il était pour moi un ami secret. » L'ambition de donner une suite à la Recherche du temps perdu *lui sera fatale. Tous ses amis de la haute société, qu'il maltraite au long des pages de « Prières exaucées », ébauche de roman à clefs dont ne paraîtront que quelques chapitres en 1965 et 1975, lui tourneront le dos. Le fiel qu'il déverse sur eux dans ce qui devait être son chef-d'œuvre est trop amer. Il a mordu les mains qui le nourrissaient, on ne le lui pardonnera pas. Ostracisé, en disgrâce mais lucide et conscient de sa valeur, il lancera ce cri de défi : « Je ne comprends pas pourquoi tous ces gens se mettent dans un tel état. Qui croyaient-ils avoir auprès d'eux ? Un bouffon de cour ? Ils avaient un écrivain. » Ses relations avec Jack Dumphy*

s'altèrent. L'abus des tranquillisants, de la drogue, de l'alcool le mène d'hôpital en cure de désintoxication ; les amants vénaux, brutaux, méchants, médiocres, désastreux précipitent sa déchéance. Il n'y survivra pas. Yukio Mishima qu'il avait rencontré au Japon avait affirmé qu'il mettrait fin à ses jours. Peut-être avait-il raison. Ces dernières années de désespérance vont être pour Truman comme un lent suicide.

« Nulle part je ne me sens chez moi, sauf peut-être dans le souvenir », disait-il souvent. Et ce souvenir, c'est essentiellement celui de son enfance qui transparaît en filigrane dans une grande partie de son œuvre. Et c'est en particulier celui de la fête de Noël à laquelle il fait allusion dans tant de ses nouvelles et de ses romans.

Les deux récits présentés ici ont été écrits l'un en 1967, l'autre en 1982, deux ans avant sa mort. Dans L'invité d'un jour, que sous-tend la détresse de l'enfant abandonné par ses parents dans une maison peuplée de vieilles filles, il met en scène la petite brute qui avait fait de sa vie à l'école un enfer et dont la crainte hantait ses nuits. Il l'avait appelé « Henderson le fêlé ». « C'était, dit-il, l'être humain le plus méchant que j'aie connu. »

Un Noël avait d'abord été intitulé « Pourquoi je crois au Père Noël ». En Alabama, tout le monde dans la famille croyait au Père Noël, Sook, sa vieille amie de soixante ans la première, et « je croyais à tout ce qu'elle croyait », conclut-il.

De cette nouvelle, Truman dira : « C'est ce moment lumineux, ce moment magique vécu par un enfant

16

totalement perdu ; un moment de son existence, le moment où il quitte le monde de l'enfance. » Son biographe, Gerald Clarke, relate qu'à l'âge de cinq ou six ans, Truman avait reçu de « quelqu'un » un petit avion à pédales peint en vert vif avec une hélice rouge dans lequel il faisait le tour de la cour. A-t-il rêvé que c'était de son père qui lui promettait tout et ne lui donnait rien que lui venait ce cadeau ?

Pour Truman Capote, le « mot le plus chargé d'espoir et le plus chargé de périls » était « amour ». De toute sa vie, jamais sans doute n'aura-t-il étanché la soif éperdue de tendresse dont il avait été frustré dès cette enfance douce amère qu'il n'aura peut-être pas quittée et qui restera son domaine de prédilection et son ultime refuge.

Henri Robillot

One Christmas
Un Noël

For Gloria Dumphy

First, a brief autobiographical prologue. My mother, who was exceptionally intelligent, was the most beautiful girl in Alabama. Everyone said so, and it was true; and when she was sixteen she married a twenty-eight-year-old businessman who came from a good New Orleans family. The marriage lasted a year. My mother was too young to be a mother or a wife; she was also too ambitious—she wanted to go to college and to have a career. So she left her husband; and as for what to do with me, she deposited me in the care of her large Alabama family.

Over the years, I seldom saw either of my parents. My father was occupied in New Orleans, and my mother, after graduating from college,

Pour Gloria Dumphy[1]

Tout d'abord, un bref prologue autobiographique. Ma mère, être d'une intelligence exceptionnelle, était la plus belle fille de l'Alabama. Tout le monde le disait et c'était vrai ; à seize ans, elle épousa un homme d'affaires de vingt-huit ans[2], issu d'une bonne famille de La Nouvelle-Orléans. Leur mariage dura un an. Ma mère était trop jeune pour jouer le rôle d'une mère de famille ou d'une épouse ; elle était aussi trop ambitieuse. Elle voulait aller au collège et faire une carrière. Elle quitta donc son mari ; quant à moi, elle me confia à la garde de sa nombreuse famille d'Alabama.

Les années passant, je ne vis que rarement mes parents. Mon père était occupé à La Nouvelle-Orléans et ma mère, une fois sortie du collège,

---

1. Danseuse étoile de la comédie musicale, mariée à Jack Dumphy qui allait devenir le fidèle compagnon de Truman Capote.

2. Archulus Persons, en fait affairiste, toujours à la limite de la légalité, éternellement en quête de la fortune.

21

was making a success for herself in New York. So far as I was concerned, this was not an unpleasant situation. I was happy where I was. I had many kindly relatives, aunts and uncles and cousins, particularly *one* cousin, an eld-erly, white-haired, slightly crippled woman named Sook. Miss Sook Faulk. I had other friends, but she was by far my best friend.

It was Sook who told me about Santa Claus, his flowing beard, his red suit, his jangling present-filled sled, and I believed her, just as I believed that everything was God's will, or the Lord's, as Sook always called Him. If I stubbed my toe, or fell off a horse, or caught a good-sized fish at the creek—well, good or bad, it was all the Lord's will. And that was what Sook said when she received the frightening news from New Orleans: My father wanted me to travel there to spend Christmas with him.

I cried. I didn't want to go. I'd never left this small, isolated Alabama town surrounded by forests and farms and rivers. I'd never gone to sleep without Sook combing her fingers through my hair and kissing me good-night. Then, too, I was afraid of strangers, and my father was a stranger. I had seen him several times, but the memory was a haze; I had no idea what he was like. But, as Sook said: "It's the

réussissait brillamment à New York. Cette situation ne manquait pas d'agrément pour moi. J'étais heureux où je me trouvais. J'avais de nombreux parents très gentils, tantes, oncles et cousins, et en particulier, une cousine, une vieille dame aux cheveux blancs, un peu infirme, qui s'appelait Sook. Miss Sook Faulk. J'avais d'autres amis, mais elle était de loin pour moi la meilleure.

Ce fut Sook qui me parla du Père Noël, de sa barbe fleurie, de son costume rouge, de son traîneau tintinnabulant chargé de cadeaux, et je la crus comme je croyais que tout dépendait de la volonté de Dieu ou du Seigneur, comme l'appelait toujours Sook. Si je me cognais un doigt de pied, tombais de cheval ou attrapais un poisson de bonne taille à la rivière — bref, en bien comme en mal, tout était voulu par le Seigneur. Et ce fut ce que me dit Sook lorsqu'elle reçut la terrible lettre de La Nouvelle-Orléans : mon père voulait que je me rende là-bas pour passer Noël avec lui.

Je pleurai. Je ne voulais pas y aller. Jamais je n'avais quitté cette petite ville isolée de l'Alabama environnée de forêts, de fermes et de rivières. Jamais je ne m'étais couché sans que Sook ne passe les doigts dans mes cheveux et ne me dise bonsoir en m'embrassant. Et puis, j'avais peur des inconnus et mon père était un inconnu. Je l'avais vu plusieurs fois, mais n'en gardais qu'un souvenir confus ; je ne savais pas du tout à quoi il ressemblait. Mais, comme disait Sook : « C'est la volonté

Lord's will. And who knows, Buddy, maybe you'll see snow."

Snow! Until I could read myself, Sook read me many stories, and it seemed a lot of snow was in almost all of them. Drifting, dazzling fairytale flakes. It was something I dreamed about; something magical and mysterious that I wanted to see and feel and touch. Of course I never had, and neither had Sook; how could we, living in a hot place like Alabama? I don't know why she thought I would see snow in New Orleans, for New Orleans is even hotter. Never mind. She was just trying to give me courage to make the trip.

I had a new suit. It had a card pinned to the lapel with my name and address. That was in case I got lost. You see, I had to make the trip alone. By bus. Well, everybody thought I'd be safe with my tag. Everybody but me. I was scared to death; and angry. Furious at my father, this stranger, who was forcing me to leave home and be away from Sook at Christmastime.

It was a four-hundred-mile trip, something like that. My first stop was in Mobile. I changed buses there, and rode along forever and forever through swampy lands and along seacoasts until we arrived in a loud city

du Seigneur. Et qui sait, Buddy, tu verras peut-être la neige. »

La neige ! En attendant que je sache lire, Sook m'avait lu des tas d'histoires où, semblait-il, presque toujours intervenait la neige. De voletants flocons éblouissants sortis de contes de fées. C'était une chose dont je rêvais, une chose magique et mystérieuse que je voulais voir, sentir et toucher. Bien sûr, cela ne m'était jamais arrivé, pas plus qu'à Sook ; comment eût-ce été possible, quand nous vivions sous le climat brûlant de l'Alabama ? Je ne sais pas pourquoi elle s'imaginait que je verrais la neige à La Nouvelle-Orléans, car à La Nouvelle-Orléans, il fait encore plus chaud. Peu importe. Elle essayait simplement de me donner du courage pour faire le voyage.

J'avais un costume neuf. Un carton était épinglé à mon revers avec mon nom et mon adresse. Au cas où je me perdrais. Je devais, voyez-vous, aller là-bas tout seul. Par le car. Enfin, tout le monde pensait que je ne risquais rien avec mon étiquette. Tout le monde sauf moi. J'étais mort de peur ; et furieux. Furieux contre mon père, cet inconnu qui me forçait à partir de chez moi et à me retrouver loin de Sook pour Noël.

C'était un voyage d'environ six cent cinquante kilomètres. Mon premier arrêt eut lieu à Mobile. Là, je changeai de car et roulai interminablement à travers des terres marécageuses et le long de la mer jusqu'à notre arrivée dans une ville bruyante

tinkling with trolley cars and packed with dangerous foreign-looking people.

That was New Orleans.

And suddenly, as I stepped off the bus, a man swept me in his arms, squeezed the breath out of me ; he was laughing, he was crying—a tall, good-looking man, laughing and crying. He said: "Don't you know me? Don't you know your daddy?"

I was speechless. I didn't say a word until at last, while we were riding along in a taxi, I asked: "Where is it?"

"Our house? It's not far—"

"Not the house. The snow."

"What snow?"

"I thought there would be a lot of snow."

He looked at me strangely, but laughed. "There never has been any snow in New Orleans. Not that I heard of. But listen. Hear that thunder? It's sure going to rain!"

I don't know what scared me most, the thunder, the sizzling zigzags of lightning that followed it—or my father. That night, when I went to bed, it was still raining. I said my prayers and prayed that I would soon be home with Sook. I didn't know how I could ever go to sleep without Sook to kiss me good-night. The fact was, I couldn't go to sleep, so I began to wonder what Santa Claus would bring me. I wanted a pearl-handled knife. And a big set of

avec des tramways qui ferraillaient et remplie de redoutables visages inconnus.

C'était La Nouvelle-Orléans.

Et soudain, comme je descendais du car, un homme m'enleva dans ses bras et me serra à me couper le souffle ; il riait, il pleurait — il était grand, beau, et au milieu de ses rires et de ses larmes, il répétait : « Tu ne me reconnais pas ? Tu ne reconnais pas ton papa ? »

J'étais sans voix. Et je ne dis pas un mot jusqu'à ce qu'enfin, tandis que nous roulions en taxi, je demande : « Où est-elle ?

— Notre maison ? Ce n'est pas loin.

— Pas la maison. La neige.

— Quelle neige ?

— Je croyais qu'il y aurait plein de neige. »

Il me regarda d'un air surpris, puis se mit à rire. « Il n'y a jamais eu de neige à La Nouvelle-Orléans. Pas à ma connaissance. Mais écoute. Tu entends le tonnerre ? Il va sûrement pleuvoir. »

Je ne sais pas ce qui me terrifiait le plus, le tonnerre, les grésillants zigzags des éclairs — ou mon père. Ce soir-là, quand je me mis au lit, il pleuvait encore. Je récitai mes prières et demandai à me retrouver bientôt chez moi avec Sook. Je n'imaginais pas comment je pourrais m'endormir sans que Sook m'embrasse et me dise bonne nuit. Et le fait est qu'incapable de trouver le sommeil, je commençai à me demander ce que le Père Noël m'apporterait. Je voulais un couteau à manche de nacre. Une série de

jigsaw puzzles. A cowboy hat with matching lasso. And a B.B. rifle to shoot sparrows. (Years later, when I did have a B.B. gun, I shot a mockingbird and a bob-white, and I can never forget the regret I felt, the grief; I never killed another thing, and every fish I caught I threw back into the water.) And I wanted a box of crayons. And, most of all, a radio but I knew that was impossible: I didn't know ten people who had radios. Remember, this was the Depression, and in the Deep South houses furnished with radios or refrigerators were rare.

My father had both. He seemed to have every-thing—a car with a rumble seat, not to mention an old, pink pretty little house in the French Quarter with iron-lace balconies and a secret patio garden colored with flowers and cooled by a fountain shaped like a mermaid. He also had a half-dozen, I'd say full-dozen, lady friends. Like my mother, my father had not remarried; but they both had determined admirers and, willingly or not, eventually walked the path to the altar—in fact, my father walked it six times.

So you can see he must have had charm; and, indeed, he seemed to charm most people—everybody except me.

grands puzzles. Un chapeau de cow-boy avec un lasso. Et une carabine à air comprimé pour tirer les moineaux. (Des années plus tard, lorsque je possédai une carabine à plombs, je tuai un oiseau moqueur et une caille et jamais je n'oublierai le regret, le chagrin que j'éprouvai ; je n'ai plus jamais rien tué depuis et chaque fois qu'à la pêche j'ai pris un poisson, je l'ai rejeté à l'eau.) Je voulais aussi une boîte de crayons de couleur. Et, par-dessus tout, une radio, mais je savais que c'était impossible. Je ne connaissais pas dix personnes possédant des radios. Souvenez-vous, c'était la crise et dans le Sud profond, les maisons avec des radios ou des réfrigérateurs étaient rares.

Mon père avait les deux. Il semblait d'ailleurs tout avoir, un cabriolet sans parler d'une jolie petite maison rose dans le quartier français avec des balcons de fer forgé et un jardin secret en patio aux fleurs multicolores rafraîchi par une fontaine en forme de sirène. Il avait aussi une demi-douzaine, disons une douzaine complète de bonnes amies. Comme ma mère, mon père ne s'était pas remarié ; mais tous deux avaient des admirateurs et des admiratrices convaincus et, de bon gré ou pas, il leur arriva plus d'une fois de prendre le chemin de l'autel — en vérité, mon père en monta les marches six fois.

Vous voyez donc qu'il ne devait pas manquer de charme ; et en effet, il paraissait séduire la plupart des gens — tout le monde sauf moi.

That was because he embarrassed me so, always hauling me around to meet his friends, everybody from his banker to the barber who shaved him every day. And, of course, all his lady friends. And the worst part: All the time he was hugging and kissing me and bragging about me. I felt so ashamed. First of all, there was nothing to brag about. I was a real country boy. I believed in Jesus, and faithfully said my prayers. I knew Santa Claus existed. And at home in Alabama, except to go to church, I never wore shoes; winter or summer.

It was pure torture, being pulled along the streets of New Orleans in those tightly laced, hot as hell, heavy as lead shoes. I don't know what was worse—the shoes or the food. Back home I was used to fried chicken and collard greens and butter beans and corn bread and other comforting things. But these New Orleans restaurants! I will never forget my first oyster, it was like a bad dream sliding down my throat ; decades passed before I swallowed another. As for all that spicy Creole cookery—just to think of it gave me heartburn. No sir, I hankered after biscuits right from the stove and milk fresh from the cows and homemade molasses straight from the bucket.

Et cela tant il m'embarrassait à vouloir toujours me montrer à ses amis, depuis son banquier jusqu'au barbier qui le rasait chaque jour. Et, bien entendu, à toutes ses bonnes amies. Pire que tout : il ne cessait de m'étreindre, de m'embrasser, de vanter mes mérites. J'avais affreusement honte. D'abord il n'y avait aucun mérite à vanter chez moi. J'étais un vrai gamin de la campagne. Je croyais à Jésus et disais fidèlement mes prières. Je savais que le Père Noël existait. Et chez moi, en Alabama, sauf pour aller à l'église, je ne portais jamais de souliers, hiver comme été.

C'était une pure torture d'être traîné le long des rues de La Nouvelle-Orléans dans ces étroites bottines lacées, lourdes comme du plomb, et qui me tenaient horriblement chaud aux pieds. Je ne sais pas ce qui était le pire — les chaussures ou la nourriture. Chez moi, j'étais habitué au poulet frit, au chou-fleur, aux haricots beurre, aux galettes de maïs et autres aliments rassurants, familiers. Mais ces restaurants de La Nouvelle-Orléans... Jamais je n'oublierai ma première huître ; c'était comme un cauchemar qui me glissait au fond de la gorge ; des décennies ont passé avant que je puisse en avaler une autre. Quant à toute cette cuisine créole épicée, rien que d'y penser me donnait des brûlures d'estomac. Ah, misère, comme je rêvais de biscuits sortis tout droit du four, de lait tiré au pis de la vache, de mélasse faite à la maison et puisée à même le seau !

My poor father had no idea how miserable I was, partly because I never let him see it, certainly never told him; and partly because, despite my mother's protest, he had managed to get legal custody of me for this Christmas holiday.

He would say: "Tell the truth. Don't you want to come and live here with me in New Orleans?"

"I can't."

"What do you mean you can't?"

"I miss Sook. I miss Queenie; we have a little rat terrier, a funny little thing. But we both love her."

He said: "Don't you love me?"

I said: "Yes." But the truth was, except for Sook and Queenie and a few cousins and a picture of my beautiful mother beside my bed, I had no real idea of what love meant.

I soon found out. The day before Christmas, as we were walking along Canal Street, I stopped dead still, mesmerized by a magical object that I saw in the window of a big toy store. It was a model airplane large enough to sit in and pedal like a bicycle. It was green and had a red propeller. I was convinced that if you pedaled fast enough it would take off and fly! Now wouldn't that be something! I could just see my cousins standing on the ground while I flew about

Mon pauvre père n'avait aucune idée de ma détresse, en partie parce que je n'en laissais rien voir et, naturellement, en parlais encore moins, et aussi parce qu'en dépit des protestations de ma mère, il avait réussi à obtenir de me garder légalement pour ce congé de Noël.

Il me demandait : « Dis-moi la vérité. Tu n'as pas envie de venir vivre avec moi ici à La Nouvelle-Orléans ?

— Je ne peux pas.

— Comment ça, tu ne peux pas ?

— Sook me manque ; Queenie me manque. Nous avons un fox-terrier, une petite bête très drôle. Mais nous l'aimons beaucoup tous les deux. »

Il me dit : « Tu ne m'aimes donc pas, moi ? »

Je répondis : « Si. » Mais pour être sincère, mis à part Sook, Queenie, quelques cousins et une photo de ma mère si belle à côté de mon lit, je ne savais pas trop le sens du mot aimer.

Je le découvris bientôt. La veille de Noël, comme nous marchions dans Canal Street, je me figeai sur place, fasciné par un objet magique que je venais de voir dans la vitrine d'une grande boutique de jouets. C'était un avion assez grand pour qu'on puisse s'asseoir dedans et le faire marcher avec des pédales, comme une bicyclette. Il était vert avec une hélice rouge. J'étais persuadé que si on pédalait assez fort, il pouvait décoller et prendre son vol. Ça, c'était fantastique ! J'imaginais déjà mes cousins cloués au sol pendant que je planais au-dessus d'eux

among the clouds. Talk about green! I laughed; and laughed and laughed. It was the first thing I'd done that made my father look confident, even though he didn't know what I thought was so funny.

That night I prayed that Santa Claus would bring me the airplane.

My father had already bought a Christmas tree, and we spent a great deal of time at the five 'n' dime picking out things to decorate it with. Then I made a mistake. I put a picture of my mother under the tree. The moment my father saw it he turned white and began to tremble. I didn't know what to do. But he did. He went to a cabinet and took out a tall glass and a bottle. I recognized the bottle because all my Alabama uncles had plenty just like it. Prohibition moonshine. He filled the tall glass and drank it with hardly a pause. After that, it was as though the picture had vanished.

And so I awaited Christmas Eve, and the always exciting advent of fat Santa. Of course, I had never seen a weighted, jangling, belly-swollen giant flop down a chimney and gaily dispense his largesse under a Christmas tree. My cousin Billy Bob, who was a mean little runt but had a brain like a fist made of iron, said it was a lot of hooey, there was no such creature.

"My foot!" he said. "Anybody would believe there was any Santa Claus would believe a mule was a horse."

parmi les nuages. Quelle naïveté ! Et je me mis à rire, à rire, à rire sans m'arrêter. C'était la première réaction de ma part qui parut rendre son assurance à mon père encore qu'il ne comprît pas ce que je trouvais si drôle.

Ce soir-là, je demandai dans mes prières au Père Noël de m'apporter l'avion.

Mon père avait déjà acheté un arbre de Noël et nous passâmes un long moment au bazar à choisir de quoi le décorer. Puis je commis une erreur. Je plaçai sous l'arbre une photo de ma mère. À l'instant où mon père la vit, il devint tout blanc et se mit à trembler. Je ne savais que faire. Lui si. Il alla ouvrir un placard et en sortit un grand verre et une bouteille. Je reconnus la bouteille parce que tous mes oncles d'Alabama en avaient quantité de pareilles. Du whisky de prohibition. Il remplit le grand verre et le vida presque d'un trait. Après quoi, ce fut comme si la photo avait disparu.

Ainsi attendis-je la veille de Noël et la venue toujours exaltante du gros Père Noël. Certes, je n'avais jamais vu un géant ventru surchargé d'objets et sonnaillant dégringoler dans une cheminée et dispenser joyeusement ses largesses sous un arbre de Noël. Mon cousin Billy Bob, qui était un sale petit garnement mais avec une cervelle dure comme un poing de fer, m'avait dit que tout ça c'était des fadaises, que jamais un tel personnage n'avait existé.

« Mon œil ! avait-il dit. Croire au Père Noël... Autant prendre une mule pour un cheval ! »

This quarrel took place in the tiny courthouse square. I said: *"There is a Santa Claus because what he does is the Lord's will and whatever is the Lord's will is the truth."* And Billy Bob, spitting on the ground, walked away: "Well, looks like we've got another preacher on our hands."

I always swore I'd never go to sleep on Christmas Eve, I wanted to hear the prancing dance of reindeer on the roof, and to be right there at the foot of the chimney to shake hands with Santa Claus. And on this particular Christmas Eve, nothing, it seemed to me, could be easier than staying awake.

My father's house had three floors and seven rooms, several of them huge, especially the three leading to the patio garden: a parlor, a dining room and a "musical" room for those who liked to dance and play and deal cards. The two floors above were trimmed with lacy balconies whose dark green iron intricacies were delicately entwined with bougainvillea and rippling vines of scarlet spider orchids—a plant that resembles lizards flicking their red tongues. It was the kind of house best displayed by lacquered floors and some wicker here, some velvet there. It could have been mistaken for the house of a rich man; rather, it was the place of a man with an appetite for elegance. To a poor (but happy) barefoot boy from Alabama it was a mystery how he managed to satisfy that desire.

Cette dispute avait eu lieu sur la minuscule place du tribunal. J'avais répondu : « *Le Père Noël existe parce qu'il obéit à la volonté de Dieu et que la volonté de Dieu est la vérité.* » Et Billy Bob, crachant par terre, était parti en disant : « Eh ben, nous voilà avec un prêcheur de plus sur les bras. »

Je m'étais toujours juré de ne pas m'endormir la veille de Noël. Je voulais entendre caracoler le renne sur le toit et me trouver en bas devant la cheminée pour serrer la main du Père Noël. Et en cette veille de Noël particulière, rien ne me semblait plus facile que de rester éveillé.

La maison de mon père avait deux étages et sept pièces, dont plusieurs très grandes, en particulier les trois qui donnaient sur le jardin du patio : un salon, une salle à manger et une salle de « musique » pour ceux qui aimaient danser, jouer d'un instrument ou faire des parties de cartes. Les deux étages au-dessus étaient festonnés de balcons ajourés dont les volutes de fer forgé vert sombre s'ornaient d'entrelacs délicats de bougainvillées et d'orchidées pourpres en cascade — une plante qui ressemble à des lézards dardant des langues rouges. C'était une de ces maisons mises le mieux en valeur par des planchers bien cirés, de l'osier par-ci, du velours par-là. On aurait pu la prendre pour la demeure d'un homme riche ; c'était plutôt celle d'un homme féru d'élégance. Pour un gamin aux pieds nus, pauvre (mais heureux) de l'Alabama, la façon dont il s'arrangeait pour satisfaire ces goûts restait un mystère.

But it was no mystery to my mother, who, having graduated from college, was putting her magnolia delights to full use while struggling to find in New York a truly suitable fiancé who could afford Sutton Place apartments and sable coats. No, my father's resources were familiar to her, though she never mentioned the matter until many years later, long after she had acquired ropes of pearls to glisten around her sable-wrapped throat.

She had come to visit me in a snobbish New England boarding school (where my tuition was paid by her rich and generous husband), when something I said tossed her into a rage; she shouted: "So you don't know how he lives so well? Charters yachts and cruises the Greek Islands? His *wives*! Think of the whole long string of them. All widows. All rich. *Very* rich. And all much older than he. Too old for any sane young man to marry. That's why you are his only child. And that's why I'll never have another child—I was too young to have any babies, but he was a beast, he wrecked me, he ruined me—"

Mais ce n'était pas un mystère pour ma mère qui, depuis sa sortie du collège, déployait tous ses charmes de fleur du Sud pour dénicher à New York le fiancé accompli en mesure de la loger Sutton Place[1] et de lui offrir des manteaux de zibeline. Non, elle n'ignorait rien des ressources dont disposait mon père, encore qu'elle n'y fît allusion que de longues années plus tard, bien après avoir acquis les rangs de perles luisantes parant sa gorge enveloppée de zibeline.

Elle était venue me voir dans un collège snobinard de Nouvelle-Angleterre[2] (où ma pension était payée par son riche et généreux mari) quand une remarque de ma part la plongea dans une fureur noire. « Alors, tu ne comprends pas comment il vit si bien ? Des yachts de location et des croisières dans les îles grecques ? *Ses femmes !* Pense à cette ribambelle ! Toutes des veuves. Toutes riches. *Très* riches. Et toutes bien plus vieilles que lui. Trop vieilles pour qu'un homme jeune à peu près normal songe à les épouser. Voilà pourquoi tu es son fils unique. Et voilà pourquoi je n'aurai jamais d'autres enfants. J'étais trop jeune pour avoir des bébés, mais lui, c'était une brute, il m'a détruite, il m'a démolie... »

1. L'un des quartiers les plus huppés de Manhattan, dans l'East Side.
2. Trinity School, école privée chic de New York.

Just a gigolo, everywhere I go, people stop and stare...
Moon, moon over Miami... This is my first affair, so
please be kind... Hey, mister, can you spare a dime?...
Just a gigolo, everywhere I go, people stop and stare...

All the while she talked (and I tried not to listen,
because by telling me my birth had destroyed her, *she*
was destroying me), these tunes ran through my head,
or tunes like them. They helped me not to hear her,
and they reminded me of the strange haunting party
my father had given in New Orleans that Christmas
Eve.

The patio was filled with candles, and so were the
three rooms leading off it. Most of the guests were
gathered in the parlor, where a subdued fire in the fireplace made the Christmas tree glitter; but many others
were dancing in the music room and the patio to music
from a wind-up Victrola. After I had been introduced
to the guests, and been made much of, I had been sent
upstairs; but from the terrace outside my French-shut-
tered bedroom door, I could watch all the party, see
all the couples dancing. I watched my father waltz

Just a gigolo, everywhere I go, people stop and stare... Moon, moon over Miami... This is my first affair, so please be kind... Hey, mister, can you spare a dime ?... Just a gigolo, everywhere I go, people stop and stare[1]...

Tout le temps qu'elle avait parlé (et j'essayais de ne pas écouter, parce qu'en me disant que ma naissance l'avait détruite, elle me détruisait elle-même), ces airs ou des airs semblables s'étaient entremêlés dans ma tête. Ils m'aidaient à ne pas l'entendre et me rappelaient l'étrange et envoûtante soirée que mon père avait donnée à La Nouvelle-Orléans en cette veille de Noël.

Le patio était rempli de bougies, ainsi que les trois pièces qui donnaient dessus. La plupart des invités étaient rassemblés dans le salon où les courtes flammes d'un feu de bois dans la cheminée faisaient étinceler l'arbre de Noël ; mais beaucoup d'autres dansaient dans la salle de musique et dans le patio au son d'un Victrola à manivelle. Après avoir été présenté aux invités qui me firent fête, j'avais été envoyé en haut ; mais de la terrasse devant la porte-fenêtre de ma chambre, je pouvais suivre des yeux les réjouissances, voir les couples danser. Je regardai mon père valser

1. Série d'airs populaires du temps : *Rien qu'un gigolo, partout où je vais, on me dévisage... la lune, la lune sur Miami... C'est ma première histoire, alors soyez gentil... Hé, m'sieu, s'iouplaît la charité...*

41

a graceful lady around the pool that surrounded the mermaid fountain. She *was* graceful, and dressed in a wispy silver dress that shimmered in the candlelight; but she was old—at least ten years older than my father, who was then thirty-five.

I suddenly realized my father was by far the youngest person at his party. None of the ladies, charming as they were, were any younger than the willowy waltzer in the floating silver dress. It was the same with the men, so many of whom were smoking sweet-smelling Havana cigars; more than half of them were old enough to be my father's father.

Then I saw something that made me blink. My father and his agile partner had danced themselves into a niche shadowed by scarlet spider orchids; and they were embracing, kissing. I was so startled, I was so *irate*, I ran into my bedroom, jumped into bed and pulled the covers over my head. What would my nice-looking young father want with an old woman like that! And why didn't all those people downstairs go home so Santa Claus could come? I lay awake for hours listening to them leave, and when my father said good-bye for the last time, I heard him climb the stairs and open my door to peek at me; but I pretended to be asleep.

avec une dame gracieuse autour du bassin qui entourait la fontaine à la sirène. Elle était vraiment gracieuse, oui, et vêtue d'une vaporeuse robe argentée qui scintillait à la lumière des bougies ; mais elle était vieille — âgée d'au moins dix ans de plus que mon père qui avait alors trente-cinq ans.

Soudain, je me rendis compte que mon père était de loin le plus jeune de toute l'assistance. Aucune des dames, si charmantes fussent-elles, n'était moins âgée que la flexible valseuse en impalpable robe d'argent. Il en était de même pour les hommes dont beaucoup fumaient des cigares de La Havane à l'odeur sucrée ; plus de la moitié d'entre eux étaient assez vieux pour être le père de mon père.

Et puis je vis quelque chose qui me fit cligner des yeux. Mon père et son agile partenaire avaient gagné en dansant une niche ombragée d'orchidées pourpres ; et ils s'étreignaient, s'embrassaient. Je fus si abasourdi, si *furieux*, que je courus dans ma chambre, sautai au fond de mon lit et rabattis les couvertures par-dessus ma tête. Qu'avait à faire mon jeune et séduisant père d'une vieille femme pareille ! Et pourquoi tous ces gens réunis en bas ne rentraient-ils pas chez eux, que le Père Noël puisse enfin venir ? Je restai éveillé pendant des heures, les écoutant partir et quand mon père eut dit bonsoir pour la dernière fois, je l'entendis monter l'escalier et ouvrir ma porte pour jeter un coup d'œil vers moi, mais je feignis d'être endormi.

Several things occurred that kept me awake the whole night. First, the footfalls, the noise of my father running up and down the stairs, breathing heavily. I had to see what he was up to. So I hid on the balcony among the bougainvillea. From there, I had a complete view of the parlor and the Christmas tree and the fireplace where a fire still palely burned. Moreover, I could see my father. He was crawling around under the tree arranging a pyramid of packages. Wrapped in purple paper, and red and gold and white and blue, they rustled as he moved them about. I felt dizzy, for what I saw forced me to reconsider everything. If these were presents intended for me, then obviously they had not been ordered by the Lord and delivered by Santa Claus; no, they were gifts bought and wrapped by my father. Which meant that my rotten little cousin Billy Bob and other rotten kids like him weren't lying when they taunted me and told me there was no Santa Claus. The worst thought was: Had Sook known the truth, and lied to me? No, Sook would never lie to me. She *believed*. It was just that—well, though she was sixty-something, in some ways she was at least as much of a child as I was.

I watched until my father had finished his chores and blown out the few candles that still burned. I waited until I was sure he was in bed and sound asleep.

Plusieurs choses contribuèrent à me maintenir éveillé tout le reste de la nuit. Et pour commencer, les pas, le bruit fait par mon père qui grimpait et dévalait l'escalier, le souffle précipité. Il fallait que je voie ce qu'il fabriquait. Je me cachai donc sur le balcon parmi les bougainvillées. De là, je voyais en entier le salon, l'arbre de Noël et la cheminée où les bûches achevaient de se consumer. En plus, je pouvais suivre des yeux mon père. Il tournait à quatre pattes sous l'arbre où il disposait une pyramide de paquets. Enveloppés de papier violet, rouge, or, blanc et bleu, il en montait des bruits de froissements tandis que mon père les déplaçait. La tête me tournait, car ce spectacle me contraignait à réviser toutes mes croyances. Si ces cadeaux m'étaient destinés, alors ils n'avaient certainement pas été commandés par le Seigneur et apportés par le Père Noël ; non, c'étaient des cadeaux achetés et emballés par mon père. Autrement dit, mon infect petit cousin Billy Bob et d'autres sales gosses de son espèce ne mentaient pas quand ils se moquaient de moi et m'affirmaient que le Père Noël n'existait pas. Perspective pire encore : Sook savait-elle la vérité et m'avait-elle menti ? Non, Sook ne m'aurait jamais menti. Elle *croyait*. Simplement... Eh bien... elle avait beau avoir plus de soixante ans, par certains côtés, elle était aussi enfantine que moi.

Je continuai à regarder jusqu'à ce que mon père eût terminé ses préparatifs et soufflé les quelques bougies qui brûlaient encore. J'attendis d'être sûr qu'il s'était couché et dormait profondément.

Then I crept downstairs to the parlor, which still reeked of gardenias and Havana cigars.

I sat there, thinking: Now I will have to be the one to tell Sook the truth. An anger, a weird malice was spiraling inside me: It was not directed towards my father, though he turned out to be its victim.

When the dawn came, I examined the tags attached to each of the packages. They all said: "For Buddy." All but one, which said: "For Evangeline." Evangeline was an elderly colored woman who drank Coca-Cola all day long and weighed three hundred pounds; she was my father's housekeeper—she also mothered him. I decided to open the packages: It was Christmas morning, I was awake, so why not? I won't bother to describe what was inside them: just shirts and sweaters and dull stuff like that. The only thing I appreciated was a quite snazzy cap-pistol. Somehow I got the idea it would be fun to waken my father by firing it. So I did. *Bang. Bang. Bang.*

He raced out of his room, wild-eyed.

Bang. Bang. Bang.

"Buddy—what the hell do you think you're doing?"

Bang. Bang. Bang.

"Stop that!"

Alors je descendis à pas de loup au salon, encore saturé de l'odeur des gardénias et des cigares de La Havane.

Et je me mis à réfléchir : Maintenant, c'est à moi de dire la vérité à Sook. Une colère sourde, une étrange animosité montait en moi comme une spirale ; bien qu'il dût plus tard s'en trouver la victime, elle n'était pas dirigée contre mon père.

Quand l'aube se leva, j'examinai les étiquettes attachées à chacun des paquets. Elles disaient toutes : pour Buddy. Toutes sauf une où était écrit : Pour Évangeline. Évangeline était une vieille femme de couleur qui buvait du Coca-Cola à longueur de journée et pesait cent trente kilos. C'était la femme de ménage de mon père ; elle était aussi comme une mère pour lui. Je résolus d'ouvrir les paquets ; c'était le matin de Noël, j'étais réveillé, alors pourquoi pas ? Je ne m'attarderai pas à décrire ce qu'ils contenaient : simplement des chemises, des sweaters et des trucs sans intérêt du même genre. Le seul objet que j'appréciai fut un pistolet à amorces dernier cri. L'idée me vint alors que ce serait drôle de réveiller mon père en tirant avec. Ce que je fis. *Pan. Pan. Pan.*

Il bondit hors de sa chambre, l'air affolé.

Pan. Pan. Pan.

« Buddy... mais nom d'un chien, qu'est-ce que tu fabriques ? »

Pan. Pan. Pan.

« Arrête ! »

I laughed. "Look, Daddy. Look at all the wonderful things Santa Claus brought me."

Calm now, he walked into the parlor and hugged me. "You like what Santa Claus brought you?"

I smiled at him. He smiled at me. There was a tender lingering moment, shattered when I said: "Yes. But what are *you* going to give me, Daddy?" His smile evaporated. His eyes narrowed suspiciously—you could see that he thought I was pulling some kind of stunt. But then he blushed, as though he was ashamed to be thinking what he was thinking. He patted my head, and coughed and said: "Well, I thought I'd wait and let you pick out something you wanted. Is there anything particular you want?"

I reminded him of the airplane we had seen in the toy store on Canal Street. His face sagged. Oh, yes, he remembered the airplane and how expensive it was. Nevertheless, the next day I was sitting in that airplane dreaming I was zooming toward heaven while my father wrote out a check for a happy salesman. There had been some argument about shipping the plane to Alabama, but I was adamant—I insisted it should go with me on the bus that I was taking at two o'clock that afternoon. The salesman settled it by calling the bus company, who said that they could handle the matter easily.

Je me mis à rire. « Écoute, papa. Regarde toutes les choses merveilleuses que m'a apportées le Père Noël. »

Calmé, il entra dans le salon et me serra sur son cœur. « Tu aimes ce que t'a apporté le Père Noël ? »

Je lui souris. Il me sourit. Il y eut entre nous un moment de tendresse que je réduisis à néant en répondant : « Oui. Mais qu'est-ce que tu vas me donner, toi, papa ? » Son sourire s'évanouit. Il plissa les yeux, méfiant — visiblement il me soupçonnait de lui jouer un sale tour. Puis il rougit, comme s'il avait honte d'avoir cédé à une telle pensée. Il me caressa la tête, toussa et dit : « Eh bien, il m'a semblé que le mieux serait de te laisser choisir quelque chose dont tu avais envie. Y a-t-il un jouet particulier qui te tente ? »

Je lui rappelai l'avion que nous avions vu dans la vitrine du magasin de Canal Street. Son visage s'allongea. Oh oui, il se souvenait très bien de l'avion et de son prix exorbitant. Néanmoins, le jour suivant, j'étais assis dans cet avion, rêvant que je montais en flèche vers le ciel pendant que mon père remplissait un chèque pour le marchand ravi. Une discussion s'était élevée à propos du transport de l'avion jusqu'en Alabama, mais je fus inébranlable. J'affirmai qu'il devait m'accompagner sur le car que je devais prendre à deux heures cet après-midi-là ; le marchand résolut la question en appelant la compagnie des cars qui assura qu'il n'y avait pas de difficulté.

But I wasn't free of New Orleans yet. The problem was a large silver flask of moonshine; maybe it was because of my departure, but anyway my father had been swilling it all day, and on the way to the bus station, he scared me by grabbing my wrist and harshly whispering: "I'm not going to let you go. I can't let you go back to that crazy family in that crazy old house. Just look at what they've done to you. A boy six, almost seven, talking about Santa Claus ! It's all their fault, all those sour old spinsters with their Bibles and their knitting needles, those drunken uncles. *Listen* to me, Buddy. There is no God! There *is* no Santa Claus." He was squeezing my wrist so hard that it ached. "Sometimes, oh, God, I think your mother and I, the both of us, we ought to kill ourselves to have let this happen—" (He never killed himself, but my mother did: She walked down the Seconal road thirty years ago.) "Kiss me. Please. Please. Kiss me. Tell your daddy that you love him." But I couldn't speak. I was terrified I was going to miss my bus.

Mais je n'étais pas encore libéré de La Nouvelle-Orléans. Le problème tenait à une grande flasque en argent de whisky de contrebande ; peut-être était-ce à cause de mon départ, mais en tout cas, mon père avait siroté toute la journée et, sur le chemin de la station des cars, il me fit très peur quand il m'agrippa le poignet en murmurant d'une voix rauque : « Je ne vais pas te laisser partir. Je ne peux pas te laisser retourner au milieu de cette famille insensée, dans cette vieille baraque insensée. Mais, regarde-moi ce qu'ils ont fait de toi. Un gosse de six ans, presque sept, qui parle du Père Noël. C'est entièrement leur faute, toutes ces vieilles filles aigries avec leurs Bibles et leurs aiguilles à tricoter, ces oncles poivrots. *Écoute-moi*, Buddy. Dieu n'existe pas ! Le Père Noël n'existe pas ! » Il me serrait le poignet avec une telle force qu'il me faisait mal. « Quelquefois, oh, Dieu, je me dis que ta mère et moi, tous les deux, on devrait se tuer pour avoir laissé une chose pareille arriver. (Jamais il ne s'est tué, mais ma mère si : elle a suivi la route fatale du Seconal il y a trente ans[1].) Embrasse-moi. Je t'en prie. Je t'en prie. Embrasse-moi. Dis à ton papa que tu l'aimes. » Mais je ne pouvais pas parler. J'étais terrifié à la pensée de manquer le car.

1. Dans la nouvelle « Une journée de travail » (*Musiques pour caméléons*, Gallimard, 1982), Truman Capote évoque le 1060 Park Avenue où sa mère s'est suicidée en avalant 30 Seconal, en janvier 1954.

And I was worried about my plane, which was strapped to the top of the taxi. "Say it: 'I love you.' Say it. Please. Buddy. Say it."

It was lucky for me that our taxi-driver was a good-hearted man. Because if it hadn't been for his help, and the help of some efficient porters and a friendly policeman, I don't know what would have happened when we reached the station. My father was so wobbly he could hardly walk, but the policeman talked to him, quieted him down, helped him to stand straight, and the taxi-man promised to take him safely home. But my father would not leave until he had seen the porters put me on the bus.

Once I was on the bus, I crouched in a seat and shut my eyes. I felt the strangest pain. A crushing pain that hurt everywhere. I thought if I took off my heavy city shoes, those crucifying monsters, the agony would ease. I took them off, but the mysterious pain did not leave me. In a way it never has; never will.

Twelve hours later I was home in bed. The room was dark. Sook was sitting beside me, rocking in a rocking chair, a sound as soothing as ocean waves. I had tried to tell her everything that had happened, and only stopped when I was hoarse as a howling dog. She stroked her fingers through my hair, and said: "Of course there is a Santa Claus. It's just that no single somebody could do all he has

Et je m'inquiétais pour mon avion, ficelé sur le toit du taxi. « Dis-le : Je t'aime. Dis-le, je t'en prie, Buddy. Dis-le. »

Heureusement pour moi, notre chauffeur de taxi était un brave homme. Car sans son assistance et celle de quelques porteurs efficaces et d'un agent de police serviable, je ne sais pas ce qui se serait passé à notre arrivée à la station. Mon père flageolait tellement qu'il pouvait à peine marcher, mais l'agent de police lui parla, le calma, l'aida à se tenir debout et le chauffeur de taxi promit de le ramener chez lui. Mais mon père ne consentit à partir qu'après avoir vu les porteurs me hisser à bord du car.

Une fois dans le car, je me tassai au fond du siège et fermai les yeux. J'éprouvais une souffrance très étrange. Une souffrance présente partout en moi. L'idée me vint que si j'ôtais mes lourds souliers de ville, ces bourreaux impitoyables, la douleur se dissiperait. Je me déchaussai donc, mais la mystérieuse souffrance ne me quitta pas. En un sens, jamais elle ne m'a quitté ; jamais elle ne me quittera.

Douze heures plus tard, j'étais chez moi au lit. La chambre était sombre. Sook, assise à côté de moi, se balançait dans un rocking-chair avec un bruit aussi apaisant que celui des vagues de l'océan. J'avais essayé de lui raconter tout ce qui s'était passé et ne m'étais arrêté qu'une fois enroué comme un chien à force d'aboyer. Elle passa les doigts dans mes cheveux et dit : « Bien sûr qu'il existe, le Père Noël. Simplement personne au monde ne pourrait faire tout ce qu'il a

53

to do. So the Lord has spread the task among us all. That's why everybody is Santa Claus. I am. You are. Even your cousin Billy Bob. Now go to sleep. Count stars. Think of the quietest thing. Like snow. I'm sorry you didn't get to see any. But now snow is falling through the stars—" Stars sparkled, snow whirled inside my head; the last thing I remembered was the peaceful voice of the Lord telling me something I must do. And the next day I did it. I went with Sook to the post office and bought a penny postcard. That same postcard exists today. It was found in my father's safety deposit box when he died last year. Here is what I had written him: *Hello pop hope you are well I am and I am lurning to pedel my plain so fast I will soon be in the sky so keep your eyes open and yes I love you Buddy.*

à faire. Alors le Seigneur a réparti la tâche entre nous tous. Voilà pourquoi tout le monde est le Père Noël. Le Père Noël c'est moi, c'est toi. Et même ton cousin Billy Bob. Maintenant il faut dormir. Compte les étoiles. Pense aux choses les plus silencieuses. Comme la neige. Je regrette que tu n'aies pas pu la voir. Mais maintenant, la neige tombe parmi les étoiles... » Les étoiles scintillaient, la neige tournoyait dans ma tête. La dernière chose dont je me souvins fut la voix paisible du Seigneur me disant ce que je devrais faire. Et le lendemain je suivis son conseil. Je me rendis avec Sook à la poste et achetai une carte postale timbrée. Cette carte existe encore aujourd'hui. On l'a retrouvée à la banque dans le coffre-fort de mon père quand il est mort l'année dernière. Voilà ce que j'avais écrit : *Bonjour, papa. J'espère que tu vas bien. Moi oui et j'apren a pédallé avec mon avion si vite que biento je serai dans le ciel. Alors regarde bien en l'air, et oui, je t'aime Buddy.*

(1982-1983)

The Thanksgiving visitor
L'invité d'un jour

For Lee

Talk about mean ! Odd Henderson was the meanest human creature in my experience.

And I'm speaking of a twelve-year-old boy, not some grown-up who has had the time to ripen a naturally evil disposition. At least, Odd was twelve in 1932, when we were both second-graders attending a small-town school in rural Alabama.

Tall for his age, a bony boy with muddy-red hair and narrow yellow eyes, he towered over all his classmates —would have in any event, for the rest of us were only seven or eight years old. Odd had failed first grade twice and was now serving his second term in the second grade. This sorry record wasn't due to dumbness—Odd was intelligent, maybe cunning is a better word—but he took after the rest of the Hendersons. The whole family (there were ten of them, not counting Dad Henderson,

Pour Lee

Des gens méchants, dites-vous ! Odd Henderson était bien l'être le plus méchant que j'aie connu.

Et c'est d'un gamin de douze ans que je parle, non de quelque adulte chez qui un penchant naturel pour le mal aurait eu tout loisir de se développer. Douze ans, c'est en tout cas l'âge qu'avait Odd en 1932, lorsque nous étions tous deux élèves du cours élémentaire à l'école d'une bourgade de l'Alabama.

Grand pour son âge, c'était un gamin osseux, aux cheveux d'un roux sale avec de minces yeux jaunes. Il était le plus grand de la classe et l'aurait été de toute façon car l'âge des autres ne dépassait pas sept ou huit ans. Odd avait échoué deux années de suite à l'entrée du cours moyen et redoublait alors pour la seconde fois son cours élémentaire. Ces piètres résultats n'étaient pas dus à la stupidité, car Odd était intelligent — ou peut-être plutôt rusé —, mais Odd tenait des autres Henderson. La famille au complet (ils étaient dix, sans compter le Père Henderson,

who was a bootlegger and usually in jail, all scrunched together in a four-room house next door to a Negro church) was a shiftless, surly bunch, every one of them ready to do you a bad turn; Odd wasn't the worst of the lot, and brother, that is *saying* something.

Many children in our school came from families poorer than the Hendersons; Odd had a pair of shoes, while some boys, girls too, were forced to go barefoot right through the bitterest weather—that's how hard the Depression had hit Alabama. But nobody, I don't care who, looked as down-and-out as Odd—a skinny, freckled scarecrow in sweaty cast-off overalls that would have been a humiliation to a chain-gang convict. You might have felt pity for him if he hadn't been so hateful. All the kids feared him, not just us younger kids, but even boys his own age and older.

Nobody ever picked a fight with him except one time a girl named Ann "Jumbo" Finchburg, who happened to be the other town bully. Jumbo, a sawed-off

bootlegger[1], généralement derrière les barreaux, entassés dans une maison de quatre pièces jouxtant une église fréquentée par les Noirs) formait une bande de vauriens mal embouchés, dont chacun était toujours prêt à vous jouer un sale tour. Odd n'était pas le pire d'entre eux et, croyez-moi, ce n'est pas rien !

Beaucoup d'enfants de notre école provenaient de familles plus pauvres que les Henderson ; Odd portait des chaussures, alors que quelques garçons, et aussi des filles, étaient forcés d'aller pieds nus, même par les froids les plus mordants, c'est dire à quel point la Crise[2] sévissait en Alabama. Mais personne, vraiment personne n'avait l'air aussi déjeté qu'Odd : un épouvantail décharné couvert de taches de son, vêtu d'une salopette crasseuse si minable qu'un forçat à la chaîne n'en aurait pas voulu. Il aurait fait pitié s'il n'avait été aussi détestable. Tous les gamins le craignaient, et pas seulement nous autres qui étions plus jeunes que lui, mais même ceux de son âge et aussi de plus âgés.

Personne ne se mêla jamais de lui chercher querelle, si ce n'est, une fois, une fille nommée Ann « Jumbo » Finchburg, qui était justement l'autre terreur de la ville. Jumbo, un garçon manqué,

1. De 1929 à 1933, c'est le règne de la prohibition. Les bootleggers faisaient la contrebande de l'alcool (l'alcool se transportait en général dans de hautes bottes, de *boot*, botte, *leg*, jambe).
2. La grande crise économique inaugurée le 23 octobre 1929 par le krach de la Bourse de New York.

but solid tomboy with an all-hell-let-loose wrestling technique, jumped Odd from behind during recess one dull morning, and it took three teachers, each of whom must have wished the combatants would kill each other, a good long while to separate them. The result was a sort of draw: Jumbo lost a tooth and half her hair and developed a grayish cloud in her left eye (she never could see clear again); Odd's afflictions included a broken thumb, plus scratch scars that will stay with him to the day they shut his coffin. For months afterwards, Odd played every kind of trick to goad Jumbo into a rematch; but Jumbo had gotten her licks and gave him considerable berth. As I would have done if he'd let me; alas, I was the object of Odd's relentless attentions.

Considering the era and locale, I was fairly well off—living, as I did, in a high-ceilinged old country house situated where the town ended and the farms and forests began. The house belonged to distant relatives, elderly cousins, and these cousins, three maiden ladies and their bachelor brother, had taken me under their roof because of a disturbance among my more immediate family, a custody battle that, for involved reasons, had left me stranded in this somewhat eccentric

courtaude mais robuste, adepte d'une technique de lutte n'excluant aucun mauvais coup, bondit sur Odd par-derrière au cours d'une récréation ; et il fallut un bon moment à trois maîtres, dont chacun aurait souhaité que les combattants s'entre-tuassent, pour les séparer. L'issue du combat demeura indécise : Jumbo y laissa une dent et la moitié de ses cheveux ; un voile grisâtre obscurcit son œil gauche (qui ne devait plus jamais recouvrer une vision normale) ; quant à Odd, il écopa, entre autres maux, d'un pouce cassé et de cicatrices de coups de griffes qui demeureront visibles jusqu'au jour où l'on fermera son cercueil. Après cela, pendant des mois, Odd chercha par tous les moyens à pousser à bout Jumbo en vue d'un match-revanche ; mais Jumbo avait eu son compte et passait au large. Tout comme j'aurais fait moi-même si j'avais pu ; hélas, j'étais l'objet des constantes attentions d'Odd.

Compte tenu du temps et du lieu, j'étais plutôt parmi les favorisés, vivant comme je le faisais dans une vieille demeure campagnarde haute de plafond, située aux confins de la ville, là où commencent les forêts et les terres cultivées. Cette maison appartenait à des parents éloignés, des cousins d'un certain âge, et ces cousins, trois vieilles filles et leur frère célibataire, m'avaient accueilli sous leur toit à la suite d'un désaccord survenu dans ma famille plus proche. Un conflit à propos d'une garde d'enfant qui, pour des raisons embrouillées, m'avait fait échouer dans ce foyer quelque peu excentrique

Alabama household. Not that I was unhappy there; indeed, moments of those few years turned out to be the happiest part of an otherwise difficult childhood, mainly because the youngest of the cousins, a woman in her sixties, became my first friend. As she was a child herself (many people thought her less than that, and murmured about her as though she were the twin of poor nice Lester Tucker, who roamed the streets in a sweet daze), she understood children, and understood me absolutely.

Perhaps it was strange for a young boy to have as his best friend an aging spinster, but neither of us had an ordinary outlook or background, and so it was inevitable, in our separate loneliness, that we should come to share a friendship apart.

Except for the hours I spent at school, the three of us, me and old Queenie, our feisty little rat terrier, and Miss Sook, as everyone called my friend, were almost always together. We hunted herbs in the woods, went fishing on remote creeks (with dried sugarcane stalks for fishing poles) and gathered curious ferns and greeneries that we transplanted and grew with trailing flourish in tin pails and chamber pots. Mostly, though, our life was lived in the kitchen—

1   Truman Capote : « Nulle part je ne me sens chez moi sauf peut-être dans le souvenir. »

Abandonné par ses parents à l'âge de cinq ans, Truman Capote ne pourra s'éloigner de son enfance dont les souvenirs aigresdoux lui serviront à maintes reprises de support littéraire.

2 Dans les bras de son père en 1932.

3 Sa mère.

4 Avec Miss Sook Faulk, sa meilleure amie.

5, 6 Truman, recueilli par des parents de sa mère, connut en Alabama les joies de la campagne. Le soir on se retrouvait à la cuisine.

7

Un Noël a pour toile de fond la crise économique de 1929 qui secoua si rudement les États-Unis.

Une file de chômeurs attendant l'ouverture de la « soupe populaire ».

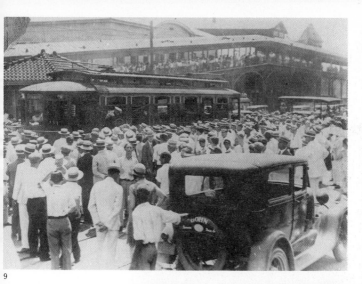

9

8, 9 L'arrivée terrifiée
de Buddy à La Nou-
velle-Orléans : « une
ville bruyante avec des
tramways qui ferrail-
laient et remplie de re-
doutables visages in-
connus ».

10 Son père possédait
une jolie petite maison
rose dans le quartier
français avec des bal-
cons de fer forgé ».

10

11

Noël, période intense de l'enfance où rêves, espoirs attendent tapis au fond des cœurs avant que la désillusion ne les en chasse.

« Ce fut Sook qui me parla du Père Noël, de sa barbe fleurie, de son costume rouge (...), et je la crus ».

12   Couverture de *House Beautiful* (1928) par Antonio Petrucelli.
Bibl. des Arts Décoratifs, Paris.

14

Pour une Amérique saine et morale, de janvier
1919 à 1933, la prohibition est instaurée aux
États-Unis. Désormais, il est interdit de fabri-
quer, de vendre ou d'acheter toutes boissons
alcoolisées. Bien sûr, des trésors d'ingéniosité
seront déployés pour lutter contre cette atteinte
à la liberté individuelle.

15

16

17

En ce temps de crise et de prohibition, le père de
Buddy continua de mener à La Nouvelle-Orléans
une existence mondaine et élégante. Un mystère,
dont la clé réside en la triste vérité révélée dans
Un Noël.

18   Un hôtel à La Nouvelle-Orléans. Carte postale vers 1930.

Dans *L'invité d'un jour*, Truman Capote fait revivre
ses démêlés avec un gamin tyrannique qui trans-
forma sa vie à l'école en un enfer. « C'était un
gamin osseux, grand pour son âge, aux cheveux
d'un roux sale avec de minces yeux jaunes »,
« l'être le plus méchant que j'aie connu ».

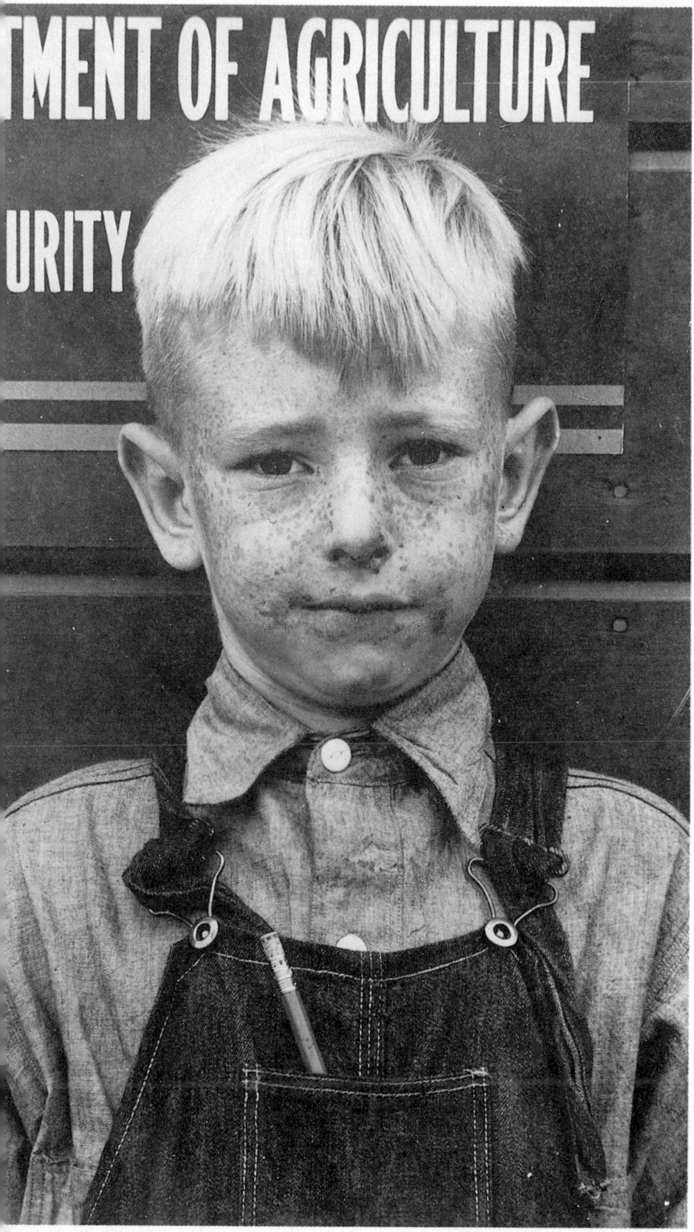
TMENT OF AGRICULTURE
URITY

22

de l'Alabama. Non que j'y fusse malheureux ; en fait, certains moments des quelques années que j'ai passées là devaient m'apparaître plus tard comme les plus heureux d'une enfance par ailleurs difficile, et cela surtout grâce à la plus jeune des cousines qui, bien qu'ayant dépassé la soixantaine, devint ma meilleure amie. Comme elle était elle-même une enfant (et beaucoup ne la considéraient pas même comme telle et parlaient d'elle à voix basse comme d'une sœur jumelle du pauvre Lester Tucker qui errait par les rues dans un état de douce hébétude), elle comprenait les enfants et me comprenait, moi, parfaitement.

Peut-être était-il étrange, de la part d'un jeune garçon, d'avoir pour meilleure amie une vieille fille sur le retour, mais ni elle ni moi n'avions sur la question d'opinion préconçue ; aussi était-il inévitable dans nos solitudes respectives que nous en venions à partager une amitié inhabituelle.

Sauf pendant les heures que je passais en classe, nous trois : moi, la vieille Queenie, notre vaillant petit fox-terrier, et Miss Sook, comme tout le monde appelait mon amie, ne nous quittions guère. Nous cherchions des herbes dans les bois, allions pêcher dans des ruisseaux écartés (avec des tiges de cannes à sucre séchées en guise de cannes à pêche) et ramassions des fougères rares et des plantes vertes que nous replantions dans des seaux de fer-blanc et des pots de chambre où elles poussaient en guirlandes. Notre vie, cependant, se passait surtout à la cuisine,

a farmhouse kitchen, dominated by a big black wood-burning stove, that was often dark and sunny at the same time.

Miss Sook, sensitive as shy-lady fern, a recluse who had never traveled beyond the county boundaries, was totally unlike her brother and sisters, the latter being down-to-earth, vaguely masculine ladies who operated a dry-goods store and several other business ventures. The brother, Uncle B., owned a number of cotton farms scattered around the countryside; because he refused to drive a car or endure any contact whatever with mobilized machinery, he rode horseback, jogging all day from one property to another. He was a kind man, though a silent one: he grunted yes or no, and really never opened his mouth except to feed it. At every meal he had the appetite of an Alaskan grizzly after a winter's hibernation, and it was Miss Sook's task to fill him up.

Breakfast was our principal meal; midday dinner, except on Sundays, and supper were casual menus, often composed of leftovers from the morning. These breakfasts, served promptly at 5:30 A.M., were regular stomach swellers. To the present day I retain a nostalgic hunger for those cockcrow repasts of ham and fried chicken, fried pork chops, fried catfish, fried squirrel

une cuisine de ferme où trônait un énorme poêle à bois noir et qui, souvent, était tout à la fois ténébreuse et ensoleillée.

Miss Sook, sensible comme un capillaire, recluse qui n'avait jamais franchi les limites du comté, était totalement différente de son frère et de ses sœurs. Celles-ci étaient des dames terre à terre, vaguement hommasses, qui tenaient une épicerie et divers autres commerces. Le frère, l'Oncle B., possédait un certain nombre de plantations de coton disséminées dans la région. Comme il se refusait à conduire une voiture et ne pouvait tolérer le moindre contact avec les moyens de locomotion mécaniques, il circulait à cheval, cahoté tout le jour d'une propriété à une autre. C'était un homme aimable, bien que silencieux : il grommelait oui ou non mais n'ouvrait jamais la bouche, sauf pour se nourrir. À chaque repas, il montrait l'appétit d'un grizzly de l'Alaska au sortir de l'hibernation, et c'était Miss Sook qui avait la charge de le rassasier.

Le petit déjeuner était notre repas principal ; les menus du déjeuner, sauf le dimanche, et du dîner étaient composés au petit bonheur, souvent des restes du matin. Ces petits déjeuners, servis ponctuellement à cinq heures et demie du matin, étaient conçus pour bien bourrer l'estomac. Aujourd'hui encore ces repas du petit matin éveillent en moi un appétit nostalgique de jambon et de poulet frit, de côtes de porc grillées, de poisson-chat grillé, d'écureuil frit

67

(in season), fried eggs, hominy grits with gravy, black-eyed peas, collards with collard liquor and cornbread to mush it in, biscuits, pound cake, pancakes and molasses, honey in the comb, homemade jams and jellies, sweet milk, buttermilk, coffee chicory-flavored and hot as Hades.

The cook, accompanied by her assistants, Queenie and myself, rose every morning at four to fire the stove and set the table and get everything started. Rising at that hour was not the hardship it may sound; we were used to it, and anyway we always went to bed as soon as the sun dropped and the birds had settled in the trees. Also, my friend was not as frail as she seemed; though she had been sickly as a child and her shoulders were hunched, she had strong hands and sturdy legs. She could move with sprightly, purposeful speed, the frayed tennis shoes she invariably wore squeaking on the waxed kitchen floor, and her distinguished face, with its delicately clumsy features and beautiful, youthful eyes, bespoke a fortitude that suggested it was more the reward of an interior spiritual shine than the visible surface of mere mortal health.

Nevertheless, depending on the season and the number of hands employed on Uncle B.'s farms, there were sometimes as many as fifteen people sitting down to those dawn banquets; the hands were entitled

(lorsque c'était la saison), d'œufs au plat, de gruau de maïs en sauce, de petits pois, de choux dans leur jus où nous trempions du pain de maïs, de biscuits, de quatre-quarts, de crêpes et de mélasse, de miel en rayons, de confitures et de gelées faites à la maison, de lait sucré et de petit-lait, de café parfumé à la chicorée et brûlant comme l'enfer.

La cuisinière, accompagnée de ses auxiliaires, Queenie et moi-même, se levait chaque matin à quatre heures pour allumer le fourneau, disposer les couverts et mettre tout en route. Se lever à cette heure n'était pas l'épreuve que l'on pourrait croire ; nous y étions habitués et, de toute manière, nous nous mettions toujours au lit dès que le soleil se couchait et que les oiseaux s'installaient dans les arbres pour dormir. Et puis, mon amie n'était pas aussi fragile qu'elle le paraissait ; en dépit de son enfance maladive et de son dos voûté, elle avait les mains vigoureuses et les jambes solides. Elle se déplaçait d'un pas élastique et décidé, ses éternelles sandales de tennis éculées crissant sur le plancher ciré de la cuisine. Son visage distingué aux traits à la fois fins et sans grâce, son beau regard enfantin, exprimaient une force d'âme qui paraissait être le fruit d'une spiritualité radieuse plutôt que le résultat visible de la seule santé physique.

Néanmoins, selon les saisons et le nombre de journaliers employés sur les terres d'Oncle B., nous étions parfois jusqu'à quinze à prendre part à ces banquets matinaux. Les ouvriers agricoles avaient

to one hot meal a day—it was part of their wages. Supposedly, a Negro woman came in to help wash the dishes, make the beds, clean the house and do the laundry. She was lazy and unreliable but a lifelong friend of Miss Sook's—which meant that my friend would not consider replacing her and simply did the work herself. She chopped firewood, tended a large menagerie of chickens, turkeys and hogs, scrubbed, dusted, mended all our clothes; yet when I came home from school, she was always eager to keep me company—to play a card game named Rook or rush off on a mushroom hunt or have a pillow fight or, as we sat in the kitchen's waning afternoon light, help me with homework.

She loved to pore over my textbooks, the geography atlas especially ("Oh, Buddy," she would say, because she called me Buddy, "just think of it—a lake named Titicaca. That really exists somewhere in the world"). My education was her education, as well. Due to her childhood illness, she had had almost no schooling; her handwriting was a series of jagged eruptions, the spelling a highly personal and phonetic affair. I could already write and read with a smoother assurance than she was capable of (though she managed to "study"

droit à un repas chaud par jour, cela faisait partie de leur paye. En principe, une Noire venait aider à laver la vaisselle, à faire les lits, le ménage et la lessive. Elle était de nature indolente et on ne pouvait compter sur elle, mais elle était pour Miss Sook une amie de toujours, autrement dit jamais mon amie n'aurait envisagé de la remplacer et se contentait de faire le travail à sa place. Elle fendait le bois d'allumage, veillait sur une importante ménagerie de poulets, de dindons et de porcs, lavait, décrassait, brossait et raccommodait tous nos vêtements. Et pourtant, quand je rentrais de l'école, elle était toujours prête à me tenir compagnie : à jouer avec moi à un jeu de cartes appelé le Rook, à se précipiter pour aller ramasser des champignons, à prendre part à une bataille de polochons, ou encore, assise près de moi dans la cuisine, tandis que déclinait la lumière des fins d'après-midi, à m'aider à faire mes devoirs.

Elle aimait s'absorber dans l'étude de mes livres et surtout dans mon atlas de géographie. « Oh, Buddy, disait-elle, car elle m'appelait Buddy, tu te rends compte : un lac nommé Titicaca ! Cela existe vraiment quelque part dans le monde ! » Ce que j'apprenais, elle l'apprenait aussi. En raison de son enfance maladive, elle n'était presque pas allée à l'école ; son écriture était une suite de dentelures heurtées, et son orthographe très personnelle était purement phonétique. J'étais déjà capable de lire et d'écrire avec plus d'assurance et d'aisance qu'elle (bien qu'elle trouvât le moyen d'« étudier »

one Bible chapter every day, and never missed "Little Orphan Annie" or "The Katzenjammer Kids", comics carried by the Mobile paper). She took a bristling pride in "our" report cards ("Gosh, Buddy! Five A's. Even arithmetic. I didn't dare to hope we'd get an A in arithmetic"). It was a mystery to her why I hated school, why some mornings I wept and pleaded with Uncle B., the deciding voice in the house, to let me stay home.

Of course it wasn't that I hated school; what I hated was Odd Henderson. The torments he contrived! For instance, he used to wait for me in the shadows under a water oak that darkened an edge of the school grounds; in his hand he held a paper sack stuffed with prickly cockleburs collected on his way to school. There was no sense in trying to outrun him, for he was quick as a coiled snake; like a rattler, he struck, slammed me to the ground and, his slitty eyes gleeful, rubbed the burrs into my scalp. Usually a circle of kids ganged around to titter, or pretend to; they didn't really think it funny; but Odd made them nervous and ready to please.

chaque jour un chapitre de la Bible et ne manquât jamais de lire *Little Orphan Annie*, ou *The Katzen-jammer Kids*[1], bandes dessinées que publiait le journal de Mobile[2]). Elle se montrait d'une susceptibilité orgueilleuse au sujet de « nos » bulletins scolaires. « Oh ! là là, Buddy ! Cinq A[3]. Même en arithmétique. Je n'aurais jamais osé espérer que nous ayons un A en arithmétique. » Elle ne pouvait comprendre pourquoi je haïssais l'école, pourquoi certains matins je pleurais et suppliais Oncle B., voix prépondérante au foyer, de me permettre de rester à la maison.

Bien entendu, ce n'était pas l'école que je haïssais, c'était Odd Henderson. Les tortures qu'il pouvait imaginer ! Par exemple, il allait m'attendre sous un chêne qui ombrageait l'un des bords du terrain de jeux de l'école ; il tenait à la main un sac en papier bourré de graterons qu'il avait ramassés le long de son chemin. Inutile d'essayer de lui échapper ; ses détentes de serpent étaient foudroyantes ; tel un crotale, il s'abattait sur moi, me jetait à terre et, ses petits yeux mi-clos pétillant d'allégresse, frottait les graterons dans ma chevelure. Ordinairement, un cercle de gamins s'assemblait autour de nous pour ricaner, ou feindre de ricaner. Ils ne trouvaient pas cela tellement drôle, mais Odd les intimidait et ils cherchaient à lui plaire.

---

1. Héros de bandes dessinées.
2. Mobile. Port de l'Alabama, sur le golfe du Mexique.
3. « A » égale « Très bien ».

Later, hiding in a toilet in the boys' room, I would untangle the burrs knotting my hair; this took forever and always meant missing the first bell.

Our second-grade teacher, Miss Armstrong, was sympathetic, for she suspected what was happening; but eventually, exasperated by my continual tardiness, she raged at me in front of the whole class: "Little mister big britches. What a big head he has! Waltzing in here twenty minutes after the bell. A half hour." Whereupon I lost control; I pointed at Odd Henderson and shouted: "Yell at him. He's the one to blame. The sonafabitch."

I knew a lot of curse words, yet even I was shocked when I heard what I'd said resounding in an awful silence, and Miss Armstrong, advancing toward me clutching a heavy ruler, said, "Hold out your hands, sir. Palms up, sir." Then, while Odd Henderson watched with a small citric smile, she blistered the palms of my hands with her brass-edged ruler until the room blurred.

It would take a page in small print to list the imaginative punishments Odd inflicted, but what I resented

Ensuite, caché dans les toilettes du vestiaire des garçons, je détachais les graterons accrochés à mes cheveux ; cela me prenait un temps fou et je ratais régulièrement le premier appel.

Notre maîtresse du cours élémentaire, miss Armstrong, était compréhensive car elle se doutait de ce qui se passait ; mais à la longue, excédée par mes continuels retards, elle finit par me passer un savon devant toute la classe : « Petit prétentiard[1]. On a une grosse tête, hein ! Et on arrive vingt minutes, une demi-heure après la cloche. » Sur quoi, je cessai de me contrôler et, montrant du doigt Odd Henderson, m'écriai : « Fâchez-vous contre lui. C'est lui le seul coupable. Sale petit con ! »

Je connaissais un grand nombre d'injures et pourtant je fus frappé d'horreur en entendant les mots que je prononçais tomber dans un silence terrifiant. Miss Armstrong, tenant ferme une lourde règle, s'avança vers moi et dit : « Tendez les mains, monsieur. Les paumes ouvertes, monsieur. » Alors, tandis qu'Odd Henderson contemplait la scène avec un petit sourire en coin, elle couvrit d'ampoules les paumes de mes mains avec sa règle aux arêtes de cuivre jusqu'à ce que la salle de classe devînt floue.

Il me faudrait toute une page en petits caractères pour énumérer les représailles ingénieuses que me fit subir Odd, mais ce qui me fit le plus de mal

---

1. Littéralement : « petit monsieur, grandes culottes ».

and suffered from most was the sense of dour expectations he induced. Once, when he had me pinned against a wall, I asked him straight out what had I done to make him dislike me so much; suddenly he relaxed, let me loose and said, "You're a sissy. I'm just straightening you out." He was right, I was a sissy of sorts, and the moment he said it, I realized there was nothing I could do to alter his judgment, other than toughen myself to accept and defend the fact.

As soon as I regained the peace of the warm kitchen, where Queenie might be gnawing an old dug-up bone and my friend puttering with a piecrust, the weight of Odd Henderson would blessedly slide from my shoulders. But too often at night, the narrow lion eyes loomed in my dreams while his high, harsh voice, pronouncing cruel promises, hissed in my ears.

My friend's bedroom was next to mine; occasionally cries arising from my nightmare upheavals wakened her; then she would come and shake me out of an Odd Henderson coma. "Look," she'd say, lighting a lamp, "you've even scared Queenie. She's shaking." And, "Is it a fever? You're wringing wet. Maybe we ought to call Doctor Stone."

et me laissa en proie à la rancune la plus tenace fut le climat d'appréhension permanent où il me plongea. Un jour, tandis qu'il me maintenait solidement le dos cloué contre un mur, je lui demandai carrément ce que j'avais fait pour qu'il me détestât à ce point ; brusquement, il desserra son étreinte, me lâcha et dit : « T'es qu'une poule mouillée ; je te fais ton éducation, c'est tout. » Il avait raison, j'étais une sorte de poule mouillée et, au moment où il dit cela, je compris clairement que je ne disposais d'aucun moyen de modifier son jugement autre que de m'endurcir et de m'imposer tel que j'étais.

Dès que je regagnais la paix de la chaude cuisine où Queenie rongeait un vieil os déterré tandis que mon amie préparait la croûte d'un pâté, je sentais avec soulagement glisser de mes épaules la terreur que m'inspirait Odd Henderson. Mais trop souvent, la nuit, ses petits yeux félins apparaissaient dans mes rêves, agrandis et inquiétants, tandis que sa voix stridente et rude sifflait à mes oreilles des menaces cruelles.

La chambre de mon amie était contiguë à la mienne ; de temps en temps, les plaintes qui m'échappaient au cours de mes cauchemars l'éveillaient ; alors elle venait et m'arrachait en me secouant à la hantise d'Odd Henderson. « Regarde, disait-elle en allumant une lampe, tu as encore fait peur à Queenie. Elle tremble. » Et elle ajoutait : « As-tu la fièvre ? Tu es trempé de sueur. Il faudrait peut-être appeler le docteur Stone. »

But she knew that it wasn't a fever, she knew that it was because of my troubles at school, for I had told and told her how Odd Henderson treated me.

But now I'd stopped talking about it, never mentioned it anymore, because she refused to acknowledge that any human could be as bad as I made him out. Innocence, preserved by the absence of experience that had always isolated Miss Sook, left her incapable of encompassing an evil so complete.

"Oh," she might say, rubbing heat into my chilled hands, "he only picks on you out of jealousy. He's not smart and pretty as you are." Or, less jestingly, "The thing to keep in mind, Buddy, is this boy can't help acting ugly; he doesn't know any different. All those Henderson children have had it hard. And you can lay that at Dad Henderson's door. I don't like to say it, but that man never was anything except a mischief and a fool. Did you know Uncle B. horsewhipped him once? Caught him beating a dog and horsewhipped him on the spot. The best thing that ever happened was when they locked him up at State Farm. But I remember Molly Henderson before she married Dad. Just fifteen or sixteen she was, and fresh from somewhere across the river. She worked for Sade Danvers down the road, learning to be a dressmaker. She used to pass here and see me hoeing in the garden—such a polite girl, with lovely red hair,

Mais elle savait bien que ce n'était pas la fièvre, elle savait que c'était la conséquence de mes ennuis à l'école, car je lui avais dit et redit comment Odd Henderson me traitait.

Cependant, j'avais cessé de lui en parler, je n'y faisais plus aucune allusion, car elle refusait d'admettre qu'un être humain pût être aussi mauvais que je le disais. Son innocence, préservée par l'absence d'expérience qui avait toujours isolé Miss Sook, la rendait inapte à pénétrer tant de noirceur.

« Oh, disait-elle, en frottant pour les réchauffer mes mains glacées. Il te cherche par pure jalousie. Il n'est pas bien habillé et joli comme toi. » Ou bien, prenant les choses moins à la légère : « Ce qu'il ne faut pas oublier, Buddy, c'est que ce garçon ne peut faire autre chose que le mal ; il ne connaît rien d'autre. Tous ces enfants Henderson ont la vie dure. Et on peut mettre cela sur le compte de leur père. Je regrette de le dire, mais cet homme n'a jamais fait que des mauvais coups et des sottises. Savais-tu qu'un jour Oncle B. l'a cravaché ? Il l'a surpris en train de battre un chien et l'a cravaché séance tenante. Ce qui leur est arrivé de mieux, c'est quand il a été bouclé au pénitencier. Mais je me souviens de Molly Henderson avant son mariage. Elle avait quinze ou seize ans et elle était fraîche comme de l'eau de source. Elle travaillait chez Sade Danvers, vers le bout de la rue, et apprenait le métier de couturière. Elle passait toujours ici et me voyait sarcler le jardin. Une fille si gentille avec ses beaux cheveux roux,

and so appreciative of everything; sometimes I'd give her a bunch of sweet peas or a japonica, and she was always so appreciative. Then she began strolling by arm in arm with Dad Henderson—and him so much older and a perfect rascal, drunk or sober. Well, the Lord must have His reasons. But it's a shame; Molly can't be more than thirty-five, and there she is without a tooth in her head or a dime to her name. Nothing but a houseful of children to feed. You've got to take all that into account, Buddy, and be patient."

Patient! What was the use of discussing it? Finally, though, my friend did comprehend the seriousness of my despair. The realization arrived in a quiet way and was not the outcome of unhappy midnight wakings or pleading scenes with Uncle B. It happened one rainy November twilight when we were sitting alone in the kitchen close by the dying stove fire; supper was over, the dishes stacked, and Queenie was tucked in a rocker, snoring. I could hear my friend's whispery voice weaving under the skipping noise of rain on the roof, but my mind was on my worries and I was not attending, though I was aware that her subject was Thanksgiving, then a week away.

et sensible aux attentions des autres. Parfois, je lui donnais un bouquet de pois de senteur ou une branche fleurie de pommier du Japon, et elle se montrait toujours ravie. Et puis elle a commencé à sortir avec le Père Henderson — ce type tellement plus âgé qu'elle, et un parfait voyou, à jeun ou saoul. Enfin, le Seigneur doit savoir ce qu'Il fait. Mais c'est une honte. Molly n'a sûrement pas plus de trente-cinq ans et elle n'a plus une dent dans la bouche, ni un sou vaillant. Rien qu'une maison pleine de gosses à nourrir. Il faut tenir compte de tout cela, Buddy, et être patient. »

Patient ! À quoi bon discuter ? Néanmoins, mon amie finit par prendre au sérieux mon désespoir. Cela se fit tout tranquillement et les angoisses nocturnes n'y furent pour rien, non plus que les supplications adressées à Oncle B. Cela se produisit par un crépuscule pluvieux de novembre alors que nous étions tous deux seuls, assis près du fourneau où mourait le feu ; le souper était fini, la vaisselle rangée et Queenie, tassée dans un fauteuil à bascule, ronflait. J'entendais la voix chuchotante de mon amie mêlée au crépitement de la pluie sur le toit mais, tout à mes ennuis, je ne suivais pas ce qu'elle disait ; je savais pourtant qu'il s'agissait du Jour de Thanksgiving[1], qui devait être célébré une semaine plus tard.

---

1. Jour d'Action de Grâces, fête nationale célébrée aux Etats-Unis le quatrième jeudi de novembre.

My cousins had never married (Uncle B. had *almost* married, but his fiancée returned the engagement ring when she saw that sharing a house with three very individual spinsters would be part of the bargain); however, they boasted extensive family connections throughout the vicinity : cousins aplenty, and an aunt, Mrs. Mary Taylor Wheelwright, who was one hundred and three years old. As our house was the largest and the most conveniently located, it was traditional for these relations to aim themselves our way every year at Thanksgiving; though there were seldom fewer than thirty celebrants, it was not an onerous chore, because we provided only the setting and an ample number of stuffed turkeys.

The guests supplied the trimmings, each of them contributing her particular specialty: a cousin twice removed, Harriet Parker from Flomaton, made perfect ambrosia, transparent orange slices combined with freshly ground coconut; Harriet's sister Alice usually arrived carrying a dish of whipped sweet potatoes and raisins; the Conklin tribe, Mr. and Mrs. Bill Conklin and their quartet of handsome daughters, always brought a delicious array of vegetables canned during the summer. My own favorite was a cold banana pudding—a guarded recipe of the ancient aunt who, despite her longevity,

Mon cousin et mes cousines ne s'étaient jamais mariés (Oncle B. avait *failli* se marier, mais sa fiancée avait rendu la bague de fiançailles quand elle avait compris que partager son foyer avec trois vieilles filles très particulières faisait partie du marché) ; cependant, ils se targuaient d'avoir dans le voisinage une nombreuse parenté : des cousins à foison, et une tante, Mrs. Mary Taylor Wheelwright, qui avait cent trois ans. Comme notre maison était la plus vaste et la plus commodément située, la coutume s'était établie de réunir toute cette parenté chez nous, une fois l'an, le Jour de Thanksgiving. Bien que nous fussions rarement moins de trente à célébrer cette fête, ce n'était pas une tâche trop ardue, car nous nous contentions de fournir le couvert et bon nombre de dindes farcies.

Les invités se chargeaient des à-côtés, chacun selon sa spécialité : une cousine au second degré, Harriet Parker, de Flomaton, fabriquait une merveilleuse ambroisie faite de transparentes tranches d'oranges mêlées à de la noix de coco fraîchement râpée ; Alice, la sœur d'Harriet, arrivait avec un plat de purée de patates douces aux raisins secs ; la famille Conklin, Mr. et Mrs. Bill Conklin, accompagnés de leurs quatre jolies filles, apportait toujours un délicieux assortiment de légumes mis en conserve au cours de l'été. Mon plat favori était un pudding froid aux bananes, recette jalousement conservée par la vieille tante qui, en dépit de son grand âge,

was still domestically energetic; to our sorrow she took the secret with her when she died in 1934, age one hundred and five (and it wasn't age that lowered the curtain; she was attacked and trampled by a bull in a pasture).

Miss Sook was ruminating on these matters while my mind wandered through a maze as melancholy as the wet twilight. Suddenly I heard her knuckles rap the kitchen table: "Buddy!"

"What?"

"You haven't listened to one word."

"Sorry."

"I figure we'll need five turkeys this year. When I spoke to Uncle B. about it, he said he wanted you to kill them. Dress them, too."

"But *why?*"

"He says a boy ought to know how to do things like that."

Slaughtering was Uncle B.'s job. It was an ordeal for me to watch him butcher a hog or even wring a chicken's neck. My friend felt the same way; neither of us could abide any violence bloodier than swatting flies, so I was taken aback at her casual relaying of this command.

"Well, I won't."

était encore douée d'une grande activité domestique. À notre grand regret, elle emporta avec elle son secret lorsqu'elle mourut en 1934, à cent cinq ans (et ce ne fut pas l'âge qui vint à bout d'elle[1], elle fut attaquée et piétinée par un taureau dans un pré).

Miss Sook ruminait tout cela pendant que mes pensées s'égaraient dans un labyrinthe aussi mélancolique que le crépuscule humide. Tout à coup, je l'entendis frapper des jointures de ses doigts la table de la cuisine : « Buddy !

— Quoi ?

— Tu n'as pas écouté un seul mot.

— Excuse-moi.

— J'ai calculé qu'il nous faudra cinq dindes cette année. Quand j'en ai parlé à Oncle B., il a dit qu'il voulait que ce soit toi qui les tues. Et qui les apprêtes aussi.

— Mais *pourquoi* ?

— Il dit qu'un garçon doit savoir faire ces choses. »

Tuer les bêtes était l'affaire d'Oncle B. C'était déjà pour moi une rude épreuve de le voir saigner un cochon ou même tordre le cou à un poulet. Mon amie était comme moi : écraser une mouche était l'acte le plus sanglant dont nous étions capables l'un et l'autre. Je fus donc très surpris de l'entendre me transmettre cette injonction d'un ton aussi détaché.

« Eh bien non, je ne veux pas le faire. »

1. Littéralement : « qui baissa le rideau ».

Now she smiled. "Of course you won't. I'll get Bubber or some other colored boy. Pay him a nickel. But," she said, her tone descending conspiratorially, "we'll let Uncle B. believe it was you. Then he'll be pleased and stop saying it's such a bad thing."

"What's a bad thing?"

"Our always being together. He says you ought to have other friends, boys your own age. Well, he's right."

"I don't want any other friend."

"Hush, Buddy. Now hush. You've been real good to me. I don't know what I'd do without you. Just become an old crab. But I want to see you happy, Buddy. Strong, able to go out in the world. And you're never going to until you come to terms with people like Odd Henderson and turn them into friends."

"Him ! He's the last friend in the world I want."

"Please, Buddy—invite that boy here for Thanksgiving dinner."

Though the pair of us occasionally quibbled, we never quarreled. At first I was unable to believe she meant her request as something more than a sample of poor-taste humor; but then, seeing that she was serious, I realized, with bewilderment, that we were edging toward a falling-out.

Alors elle sourit : « Bien sûr, tu ne le feras pas. Je demanderai à Bubber ou à un autre jeune Noir. Je lui donnerai la pièce. Mais, ajouta-t-elle en baissant la voix et en prenant des airs de conspirateur, nous laisserons croire à Oncle B. que tu l'as fait. Ainsi il sera content et cessera de dire que c'est si mauvais pour toi.

— Qu'est-ce qui est si mauvais ?

— Que nous soyons toujours ensemble. Il dit que tu devrais avoir d'autres amis, des garçons de ton âge. D'ailleurs, il a raison.

— Je ne veux aucun autre ami.

— Chut, Buddy. Tais-toi. Tu as été très gentil avec moi. Je me demande ce que je serais devenue sans toi. Un vieux croûton, voilà tout. Mais je veux te voir heureux, Buddy. Fort, capable d'affronter le monde. Et tu ne pourras jamais te débrouiller tant que tu n'auras pas trouvé moyen de t'entendre avec des gens comme Odd Henderson et réussi à t'en faire des amis.

— Lui ! C'est bien le dernier au monde que je voudrais pour ami.

— Je t'en prie, Buddy, invite ce garçon à venir déjeuner ici pour Thanksgiving. »

En dépit de prises de bec occasionnelles, nous ne nous étions jamais querellés. Je fus tout d'abord incapable de voir dans sa requête autre chose qu'une plaisanterie d'un goût douteux, mais quand je compris qu'elle parlait sérieusement, je me rendis compte avec stupéfaction que nous courions le risque de nous brouiller.

"I thought you were my *friend*."

"I am, Buddy. Truly."

"If you were, you couldn't think up a thing like that. Odd Henderson hates me. He's my *enemy*."

"He can't hate you. He doesn't know you."

"Well, I hate him."

"Because you don't know him. That's all I ask. The chance for you to know each other a little. Then I think this trouble will stop. And maybe you're right, Buddy, maybe you boys won't ever be friends. But I doubt that he'd pick on you any more."

"You don't understand. You've never hated anydody."

"No, I never have. We're allotted just so much time on earth, and I wouldn't want the Lord to see me wasting mine in any such manner."

"I won't do it. He'd think I was crazy. And I would be."

The rain had let up, leaving a silence that lengthened miserably. My friend's clear eyes contemplated me as though I were a Rook card she was deciding how to play; she maneuvered a salt-pepper lock of hair off her forehead and sighed. "Then *I* will. Tomorrow," she said, "I'll put on my hat and pay a call on Molly Henderson." This statement certified her determination, for I'd never known Miss Sook

« Je croyais que tu étais mon *amie*.

— Je le suis, Buddy. Très sincèrement.

— Si tu l'étais, tu n'aurais pas une idée pareille. Odd Henderson me déteste. C'est mon *ennemi*.

— Il ne peut pas te détester. Il ne te connaît pas.

— Bon. Moi, je le déteste.

— Parce que tu ne le connais pas. C'est tout ce que je demande. Que vous ayez l'occasion de vous connaître un peu tous les deux. Je pense qu'alors ce malentendu cessera. Peut-être as-tu raison, Buddy, peut-être n'aurez-vous jamais le désir d'être amis. Mais je doute qu'il continue à te chercher noise.

— Tu ne comprends pas. Tu n'as jamais détesté personne.

— Non, jamais. Il ne nous est pas accordé tellement de temps sur terre, je ne voudrais pas que le bon Dieu me voie perdre le mien de cette façon.

— Je ne l'inviterai pas. Il me croirait fou. Et il n'aurait pas tort. »

La pluie avait cessé, laissant le silence s'étirer misérablement. Mon amie me contemplait de ses yeux clairs comme si j'avais été une carte de Rook qu'elle ne savait comment jouer. Elle tortilla sur son front une boucle poivre et sel et poussa un soupir : « En ce cas, je m'en chargerai moi-même. Demain, dit-elle, je mettrai mon chapeau et j'irai voir Molly Henderson. » Cette déclaration montrait à quel point elle était résolue, car je n'avais jamais vu Miss Sook

to plan a call on anyone, not only because she was entirely without social talent, but also because she was too modest to presume a welcome. "I don't suppose there will be much Thanksgiving in their house. Probably Molly would be very pleased to have Odd sit down with us. Oh, I know Uncle B. would never permit it, but the nice thing to do is invite them all."

My laughter woke Queenie; and after a surprised instant, my friend laughed too. Her cheeks pinked and a light flared in her eyes; rising, she hugged me and said, "Oh, Buddy, I knew you'd forgive me and recognize there was some sense to my notion."

She was mistaken. My merriment had other origins. Two. One was the picture of Uncle B. carving turkey for all those cantankerous Hendersons. The second was: It had occurred to me that I had no cause for alarm; Miss Sook might extend the invitation and Odd's mother might accept it in his behalf; but Odd wouldn't show up in a million years.

He would be too proud. For instance, throughout the Depression years, our school distributed free milk and sandwiches to all children whose families were too poor to provide them with a lunch box. But Odd,

projeter de rendre visite à qui que ce soit, non seulement parce qu'elle était aussi peu sociable que possible, mais aussi parce qu'elle était trop modeste pour s'imaginer la bienvenue. « On ne fête sans doute guère Thanksgiving chez eux. Je suppose que Molly sera très contente qu'Odd soit reçu chez nous. Oh, je sais bien qu'Oncle B. ne le permettrait pas, mais ce qui serait vraiment bien, ce serait de les inviter tous. »

Mon rire éveilla Queenie ; et, après un instant de surprise, mon amie se mit à rire aussi. Le rose lui monta aux joues et une lueur s'éveilla dans son regard ; elle se mit debout et me serra sur son cœur en disant : « Oh, Buddy, je savais bien que tu ne m'en voudrais pas et que tu reconnaîtrais que mon idée n'était pas si mauvaise. »

Elle se trompait. Ma gaieté avait d'autres causes. Deux. L'une était la vision de l'Oncle B. découpant les dindes pour tous ces mal embouchés de Henderson. L'autre : je venais de comprendre que je n'avais aucun souci à me faire. Miss Sook pouvait formuler son invitation et la mère d'Odd pouvait de son côté l'accepter, mais jamais Odd ne consentirait à venir chez nous en invité.

Il était bien trop fier. Ainsi, tout au long des années de la Crise, on avait distribué gratuitement à notre école du lait et des sandwiches à tous les enfants dont les familles étaient trop pauvres pour les munir d'un casse-croûte. Cependant, Odd,

emaciated as he was, refused to have anything to do with these handouts; he'd wander off by himself and devour a pocketful of peanuts or gnaw a large raw turnip. This kind of pride was characteristic of the Henderson breed: they might steal, gouge the gold out of a dead man's teeth, but they would never accept a gift offered openly, for anything smacking of charity was offensive to them. Odd was sure to figure Miss Sook's invitation as a charitable gesture; or see it—and not incorrectly—as a blackmailing stunt meant to make him ease up on me.

I went to bed that night with a light heart, for I was certain my Thanksgiving would not be marred by the presence of such an unsuitable visitor.

The next morning I had a bad cold, which was pleasant; it meant no school. It also meant I could have a fire in my room and cream-of-tomato soup and hours alone with Mr. Micawber and David Copperfield: the happiest of stayabeds. It was drizzling again; but true to her promise, my friend fetched her hat, a straw cartwheel decorated with weather-faded velvet roses, and set out for the Henderson home. "I won't be but a minute," she said. In fact, she was gone the better part of two hours. I couldn't imagine Miss Sook sustaining so long a conversation except with me or herself (she talked to herself often,

tout maigre qu'il était, refusa toujours de toucher à ces casse-croûte ; il s'éloignait tout seul à pas lents et dévorait des poignées de cacahuètes ou rongeait un gros navet cru. Cette sorte d'orgueil était caractéristique de la tribu Henderson : ils pouvaient voler, arracher les dents d'or d'un cadavre, mais jamais ils n'auraient accepté un cadeau offert en public car tout ce qui avait un arrière-goût de charité était une offense pour eux. Odd allait certainement interpréter l'invitation de Miss Sook comme un geste charitable, ou la considérer, non sans raison, comme un procédé de chantage destiné à le rendre moins agressif à mon égard.

Ce soir-là, j'allai me coucher le cœur léger : j'étais certain que mon Thanksgiving ne serait pas gâché par la présence d'un aussi indésirable visiteur.

Le lendemain matin, j'avais un gros rhume, ce qui était bien agréable car cela signifiait : pas d'école. Cela signifiait aussi que je pourrais avoir du feu dans ma chambre, du velouté de tomates, et de longues heures à passer seul en compagnie de Mr. Micawber et de David Copperfield : la meilleure façon de rester au lit. Il bruinait encore mais, fidèle à sa promesse, mon amie prit son chapeau, un canotier de paille orné de roses en velours défraîchies, et partit chez les Henderson. « J'en ai pour une minute à peine » dit-elle. En fait, son absence dura près de deux heures. Je n'arrivais pas à imaginer Miss Sook soutenant une aussi longue conversation sinon avec moi ou avec elle-même (elle se parlait souvent à

a habit of sane persons of a solitary nature); and when she returned, she did seem drained.

Still wearing her hat and an old loose raincoat, she slipped a thermometer in my mouth, then sat at the foot of the bed. "I like her," she said firmly. "I always have liked Molly Henderson. She does all she can, and the house was clean as Bob Spencer's finger-nails"—Bob Spencer being a Baptist minister famed for his hygienic gleam—"but bitter cold. With a tin roof and the wind right in the room and not a scrap of fire in the fireplace. She offered me refreshment, and I surely would have welcomed a cup of coffee, but I said no. Because I don't expect there was any coffee on the premises. Or sugar.

"It made me feel ashamed, Buddy. It hurts me all the way down to see somebody struggling like Molly. Never able to see a clear day. I don't say people should have everything they want. Though, come to think of it, I don't see what's wrong with that, either. You ought to have a bike to ride, and why shouldn't Queenie have a beef bone every day? Yes, now it's come to me, now I understand: We really all of us ought to have every-thing we want. I'll bet you a dime that's what the Lord intends. And when all around us we see people who can't satisfy the plainest needs, I feel ashamed. Oh, not of

elle-même, habitude que l'on rencontre chez des personnes sensées d'un naturel solitaire). Lorsqu'elle rentra, elle paraissait épuisée.

Sans même ôter son chapeau et son vieil imperméable informe, elle glissa un thermomètre dans ma bouche et s'assit au pied de mon lit. « Elle me plaît, dit-elle d'un ton assuré. Molly Henderson m'a toujours plu. Elle fait de son mieux et sa maison est aussi propre que les ongles de Bob Spencer (Bob Spencer était un pasteur baptiste réputé pour sa passion de l'hygiène), mais qu'il y fait froid. Avec le toit en tôle, le vent qui entre dans les pièces et pas le moindre feu dans la cheminée. Elle m'a invitée à prendre quelque chose et j'aurais volontiers bu une tasse de café, mais j'ai refusé. Parce que j'ai pensé qu'il n'y avait probablement pas de café dans la maison. Ni de sucre.

« Je me suis sentie honteuse, Buddy. Ça me ravage de voir quelqu'un se débattre comme Molly. Pas la moindre lueur dans sa vie. Je ne prétends pas que les gens devraient avoir tout ce qu'ils désirent. Pourtant, réflexion faite, je ne vois pas ce qu'il y aurait de mal à cela. Tu devrais avoir une bicyclette et pourquoi Queenie n'aurait-elle pas un os de bœuf tous les jours ? Oui, maintenant je vois, maintenant je comprends : nous devrions tous avoir ce qu'il nous faut. Je te parie bien dix *cents* que c'est ce que veut le Seigneur. Et quand je vois tout autour de nous des gens qui ne peuvent pas satisfaire leurs plus simples besoins, j'ai honte. Oh ! pas de moi,

myself, because who am I, an old nobody who never owned a mite; if I hadn't had a family to pay my way, I'd have starved or been sent to the County Home. The shame I feel is for all of us who have anything extra when other people have nothing.

"I mentioned to Molly how we had more quilts here than we could ever use—there's a trunk of scrap quilts in the attic, the ones I made when I was a girl and couldn't go outdoors much. But she cut me off, said the Hendersons were doing just fine, thank you, and the only thing they wanted was Dad to be set free and sent home to his people. 'Miss Sook,' she told me, 'Dad is a good husband, no matter what else he might be.' Meanwhile, she has her children to care for.

"And, Buddy, you must be wrong about her boy Odd. At least partially. Molly says he's a great help to her and a great comfort. Never complains, regardless of how many chores she gives him. Says he can sing good as you hear on the radio, and when the younger children start raising a ruckus, he can quiet them down by singing to them. Bless us," she lamented, retrieving the thermometer, "all we can do for people like Molly is respect them and remember them in our prayers."

car que suis-je, une pauvre vieille qui n'a jamais eu un sou à elle ; si je n'avais pas eu une famille pour payer mon entretien, je serais morte de faim, ou on m'aurait envoyée à l'hospice du Comté. La honte que je ressens est pour tous ceux d'entre nous qui ont tant de superflu alors que d'autres n'ont pas le nécessaire.

« J'ai dit à Molly que nous avions ici plus d'édredons que nous n'en utiliserions jamais. Il y a au grenier une pleine malle de couettes en patchwork que j'ai cousues quand j'étais jeune et que je ne pouvais guère sortir. Mais elle m'a coupé la parole et elle a dit que les Henderson se tiraient très bien d'affaire, merci, et que la seule chose qu'ils désiraient c'était que le Père soit remis en liberté et revienne parmi les siens. " Miss Sook, m'a-t-elle dit, le Père est un bon mari, quoi qu'il puisse être par ailleurs. " En attendant, il lui faut prendre soin de ses enfants.

« Et puis, Buddy, tu dois te tromper au sujet de son fils Odd. Au moins en partie. Molly dit qu'il l'aide beaucoup et qu'il la réconforte. Jamais il ne se plaint, quelles que soient les corvées dont elle le charge. Elle dit qu'il chante aussi bien que les chanteurs de la radio et que, quand ses petits frères se mettent à faire du tapage, il les calme en leur chantant quelque chose. Mon Dieu ! gémit-elle en retirant le thermomètre, tout ce que nous pouvons faire pour les gens comme Molly, c'est de les respecter et de ne pas les oublier dans nos prières. »

The thermometer had kept me silent; now I demanded, "But what about the invitation?"

"Sometimes," she said, scowling at the scarlet thread in the glass, "I think these eyes are giving out. At my age, a body starts to look around very closely. So you'll remember how cobwebs really looked. But to answer your question, Molly was happy to hear you thought enough of Odd to ask him over for Thanksgiving. And," she continued, ignoring my groan, "she said she was sure he'd be tickled to come. Your temperature is just over the hundred mark. I guess you can count on staying home tomorrow. That ought to bring smiles! Let's see you smile, Buddy."

As it happened, I was smiling a good deal during the next few days prior to the big feast, for my cold had advanced to croup and I was out of school the entire period. I had no contact with Odd Henderson and therefore could not personally ascertain his reaction to the invitation; but I imagined it must have made him laugh first and spit next. The prospect of his actually appearing didn't worry me; it was as farfetched a possibility as Queenie snarling at me or Miss Sook betraying my trust in her.

Le thermomètre m'avait contraint au silence. Libéré, je demandai : « Et l'invitation ?

— Parfois, dit-elle en scrutant la mince colonne rouge dans le tube de verre, il me semble que mes yeux m'abandonnent. À mon âge, on commence à regarder les choses de très près. On se rappelle ainsi comment sont faites les toiles d'araignée. Mais pour répondre à ta question, Molly a été contente d'apprendre que tu t'intéressais assez à Odd pour l'inviter à fêter avec nous Thanksgiving. Et, poursuivit-elle, ignorant mon grognement dubitatif, elle a dit qu'elle était sûre qu'il serait content de venir. Tu as presque trente-huit[1] ! Je pense que tu resteras encore à la maison demain. Cela devrait te faire sourire ! Fais-moi un sourire, Buddy ! »

En fait, les occasions de sourire ne me manquèrent pas pendant les quelques jours qui précédèrent la grande fête, car mon rhume se mua en croup et je ne retournai pas en classe de toute cette période. Je n'eus aucun contact avec Odd Henderson et, par conséquent, ne pus juger par moi-même de sa réaction à l'invitation ; mais j'imaginai qu'il avait dû premièrement en rire, et ensuite cracher. La perspective de le voir réellement venir ne m'inquiétait nullement ; c'était une éventualité aussi improbable que de voir Queenie me montrer les dents ou Miss Sook trahir ma confiance.

1. $100° F = 37°,8 C.$

Yet Odd remained a presence, a redheaded silhouette on the threshold of my cheerfulness. Still, I was tantalized by the description his mother had provided; I wondered if it was true he had another side, that somewhere underneath the evil a speck of humaneness existed. But that was impossible! Anybody who believed so would leave their house unlocked when the gypsies came to town. All you had to do was look at him.

Miss Sook was aware that my croup was not as severe as I pretended, and so in the mornings, when the others had absented themselves—Uncle B. to his farms and the sisters to their dry-goods store—she tolerated my getting out of bed and even let me assist in the springlike house-cleaning that always preceded the Thanksgiving assembly. There was such a lot to do, enough for a dozen hands. We polished the parlor furniture, the piano, the black curio cabinet (which contained only a fragment of Stone Mountain the sisters had brought back from a business trip to Atlanta), the formal walnut rockers and florid Biedermeier pieces—rubbed them with lemon-scented wax until the place was shiny as lemon skin and smelled like a citrus grove. Curtains were laundered and rehung,

Néanmoins, Odd me restait présent à l'esprit et sa silhouette aux cheveux rouges jetait une ombre sur ma bonne humeur. De plus, j'étais troublé par la description qu'en avait faite sa mère ; je me demandais s'il était vrai qu'il pût se présenter sous un autre aspect et si, quelque part, enfouie sous la malfaisance, existait en lui une parcelle d'humanité. Mais c'était impossible ! Quiconque croirait cela laisserait tout aussi bien sa maison ouverte à l'arrivée en ville des romanichels. Il suffisait de le regarder.

Miss Sook se rendit compte que mon croup n'était pas aussi grave que je l'avais prétendu ; aussi, durant les matinées, tandis que les autres étaient partis, Oncle B. vers ses fermes et les deux sœurs à leur épicerie, elle me permit de sortir du lit et même d'assister aux grands nettoyages de printemps qui précédaient toujours les réunions de Thanksgiving. Il y avait assez de travail pour douze. Nous cirions les meubles du salon, le piano, la petite vitrine noire à curiosités (qui ne contenait qu'un fragment de Stone Mountain[1] rapporté par les sœurs d'un voyage d'affaires à Atlanta), les austères fauteuils à bascule en noyer et les meubles surchargés d'ornements de Biedermeier. Nous les astiquions avec une cire à l'essence de citron jusqu'à ce que toute la pièce fût aussi reluisante qu'une écorce de citron et parfumée comme un bosquet de citronniers. Les rideaux étaient lavés et remis en place,

1. Stone Mountain, dôme granitique d'environ 550 mètres au centre de la Géorgie.

101

pillows punched, rugs beaten; wherever one glanced, dust motes and tiny feathers drifted in the sparkling November light sifting through the tall rooms. Poor Queenie was relegated to the kitchen, for fear she might leave a stray hair, perhaps a flea, in the more dignified areas of the house.

The most delicate task was preparing the napkins and tablecloths that would decorate the dining room. The linen had belonged to my friend's mother, who had received it as a wedding gift; though it had been used only once or twice a year, say two hundred times in the past eighty years, nevertheless it was eighty years old, and mended patches and freckled discolorations were apparent. Probably it had not been a fine material to begin with, but Miss Sook treated it as though it had been woven by golden hands on heavenly looms: "My mother said, 'The day may come when all we can offer is well water and cold cornbread, but at least we'll be able to serve it on a table set with proper linen.' "

At night, after the day's dashing about and when the rest of the house was dark, one feeble lamp burned late while my friend, propped in bed with napkins massed on her lap, repaired blemishes and tears with thread and needle, her forehead crumpled, her eyes

les coussins tapés, les tapis battus ; de toutes parts des grains de poussière et de minuscules duvets voltigeaient dans la scintillante lumière de novembre, dérivant à travers les vastes pièces de la maison. La pauvre Queenie était reléguée à la cuisine, de crainte qu'elle ne laissât derrière elle quelque poil, ou même une puce, dans les régions plus nobles de la maison.

La tâche la plus délicate était de préparer les nappes et les serviettes destinées à décorer la table de salle à manger. Le linge avait appartenu à la mère de mon amie, qui l'avait reçu en cadeau de mariage ; bien qu'il n'eût servi qu'une ou deux fois par an, c'est-à-dire environ deux cents fois en quatre-vingts ans, il avait néanmoins quatre-vingts ans : des pièces, des reprises et des endroits décolorés y étaient apparents. Sans doute n'était-ce pas à l'origine du très beau linge, mais Miss Sook le traitait comme s'il avait été tissé par des mains d'or sur des métiers célestes. « Ma mère disait : " Il se peut que nous n'ayons un jour rien d'autre à offrir que de l'eau de source et du pain rassis, mais du moins pourrons-nous les servir sur une table garnie de linge convenable. " »

La nuit, après l'effervescence de la journée et lorsque le reste de la maison était plongé dans l'obscurité, une faible lampe brûlait tard chez mon amie ; calée dans son lit avec des piles de serviettes entassées sur ses genoux, elle ravaudait les parties élimées et les déchirures, le front plissé, les yeux

cruelly squeezed, yet illuminated by the fatigued rapture of a pilgrim approaching an altar at journey's end.

From hour to hour, as the shivery tolls of the faraway courthouse clock numbered ten and eleven and twelve, I would wake up and see her lamp still lit, and would drowsily lurch into her room to reprimand her: "You ought to be asleep!"

"In a minute, Buddy. I can't just now. When I think of all the company coming, it scares me. Starts my head whirling," she said, ceasing to stitch and rubbing her eyes. "Whirling with stars."

Chrysanthemums: some as big as a baby's head. Bundles of curled penny-colored leaves with flickering lavender underhues. "Chrysanthemums," my friend commented as we moved through our garden stalking flower-show blossoms with decapitating shears, "are like lions. Kingly characters. I always expect them to *spring*. To turn on me with a growl and a roar."

It was the kind of remark that caused people to wonder about Miss Sook, though I understand that only in retrospect, for I always knew just what she meant, and in this instance the whole idea of it, the notion of lugging all those growling gorgeous roaring lions

férocement rivés sur sa tache et pourtant illuminés du ravissement qui saisit le pèlerin exténué sur le point d'atteindre l'autel au terme du voyage.

D'heure en heure, chaque fois que tintait la lointaine sonnerie tremblotante de l'horloge du Tribunal égrenant ses dix, onze et douze coups, je me levais pour voir si sa lampe était toujours allumée et, titubant de sommeil, j'allais jusqu'à sa chambre pour la réprimander : « Tu devrais dormir !

— Dans une minute, Buddy. Je ne peux pas tout de suite. Quand je pense à tous ces invités qui vont venir, ça me fait peur. J'ai la tête qui se met à tourner, ajoutait-elle en cessant de coudre pour se frotter les yeux. À tourner au milieu des étoiles. »

Les chrysanthèmes : certains ont des fleurs grosses comme des têtes de bébés. Des bouquets de pétales frisés aux teintes cuivrées avec de changeants reflets couleur de lavande. « Les chrysanthèmes, commentait mon amie, tandis que nous allions à travers le jardin, moissonnant les floraisons avec nos sécateurs, ressemblent à des lions. Ce sont des êtres royaux. Je m'attends toujours à les voir bondir. À ce qu'ils se tournent vers moi en grondant et en rugissant. »

C'était à cause de ce genre de remarques que les gens trouvaient Miss Sook bizarre, je le comprends aujourd'hui. Mais, pour moi, je savais toujours ce qu'elle voulait dire et, dans ce cas précis, le sentiment qu'elle exprimait, l'idée de faire entrer de force dans la maison tous ces splendides lions rugissants,

into the house and caging them in tacky vases (our final decorative act on Thanksgiving Eve) made us so giggly and giddy and stupid we were soon out of breath.

"Look at Queenie," my friend said, stuttering with mirth. "Look at her ears, Buddy. Standing straight up. She's thinking, Well, what kind of lunatics are these I'm mixed up with? Ah, Queenie. Come here, honey. I'm going to give you a biscuit dipped in hot coffee."

A lively day, that Thanksgiving. Lively with on-and-off showers and abrupt sky clearings accompanied by thrusts of raw sun and sudden bandit winds snatching autumn's leftover leaves.

The noises of the house were lovely, too: pots and pans and Uncle B.'s unused and rusty voice as he stood in the hall in his creaking Sunday suit, greeting our guests as they arrived. A few came by horseback or mule-drawn wagon, the majority in shined-up farm trucks and rackety flivvers. Mr. and Mrs. Conklin and their four beautiful daughters drove up in a mint-green 1932 Chevrolet (Mr. Conklin was well off; he owned several fishing smackers that operated out of Mobile), an object which aroused warm curiosity among the men present; they studied and poked it and all but took it apart.

de les emprisonner et de les entasser dans des vases (acte final de nos travaux de décoration la veille du Thanksgiving), nous jetait dans de tels fous rires et de tels vertiges, que nous en perdions le souffle.

« Regarde Queenie, disait mon amie, bégayant de joie. Regarde ses oreilles, Buddy. Comme elles sont dressées. Elle se demande : qu'est-ce que c'est que cette bande de fous autour de moi ? Ah, Queenie. Viens ici, ma douce. Je vais te donner un biscuit trempé dans du café chaud. »

Un jour animé s'il en fut que ce Thanksgiving. Animé d'averses passagères, de brusques éclaircies où jaillissait du ciel un soleil vif, et de vents sauvages qui emportaient les dernières feuilles d'automne.

Les bruits de la maison aussi étaient engageants : tintements des casseroles et des poêlons et puis la voix inhabituelle et rouillée d'Oncle B. qui se tenait dans le vestibule vêtu de son costume du dimanche aux plis craquants pour accueillir nos invités à mesure qu'ils arrivaient. Quelques-uns venaient à cheval ou dans des charrettes attelées de mules, la plupart dans des fourgonnettes briquées pour la circonstance ou dans de vieux tacots brinquebalants. Mr. et Mrs. Conklin et leurs quatre superbes filles roulaient en Chevrolet 1932 vert menthe (Mr. Conklin était à l'aise : il possédait plusieurs bateaux de pêche qui croisaient au large de Mobile). Cette voiture éveillait une vive curiosité chez les hommes ; ils l'examinaient, la tâtaient et pour un peu l'auraient démontée.

The first guests to arrive were Mrs. Mary Taylor Wheelwright, escorted by her custodians, a grandson and his wife. She was a pretty little thing, Mrs. Wheelwright; she wore her age as lightly as the tiny red bonnet that, like the cherry on a vanilla sundae, sat perkily atop her milky hair. "Darlin' Bobby," she said, hugging Uncle B., "I realize we're an itty-bit early, but you know me, always punctual to a fault." Which was an apology deserved, for it was not yet nine o'clock and guests weren't expected much before noon.

However, *everybody* arrived earlier than we intended —except the Perk McCloud family, who suffered two blow-outs in the space of thirty miles and arrived in such a stomping temper, particularly Mr. McCloud, that we feared for the china. Most of these people lived year-round in lonesome places hard to get away from: isolated farms, whistle-stops and crossroads, empty river hamlets or lumber-camp communities deep in the pine forests; so of course it was eagerness that caused them to be early, primed for an affectionate and memorable gathering.

Les premiers à arriver furent Mrs. Mary Taylor Wheelwright escortée de ses anges gardiens, un petit-fils et sa femme. C'était une ravissante petite personne que Mrs. Wheelwright. Elle portait son âge aussi allégrement que le minuscule bonnet rouge qui, telle une cerise perchée sur une glace à la vanille, se tenait, pimpant, au sommet de sa chevelure de neige. « Bobby chéri, dit-elle en pressant sur son cœur Oncle B., je vois que nous sommes un tout petit peu en avance, mais vous me connaissez : toujours ponctuelle à l'excès. » Excuse qui était motivée car il n'était pas encore neuf heures et les invités n'étaient guère attendus avant midi.

Cependant, tout le monde arriva plus tôt que prévu, sauf la famille Perk McCloud qui eut deux crevaisons sur un parcours de quarante-cinq kilomètres[1] et parvint à destination dans un tel état d'énervement, surtout Mr. McCloud, que nous eûmes peur pour la vaisselle. La plupart de ces gens vivaient d'un bout de l'année à l'autre en des endroits solitaires d'où l'on ne sortait pas facilement : des fermes isolées, des arrêts facultatifs et des carrefours, des hameaux abandonnés au bord de la rivière ou des camps de bûcherons au cœur des forêts de pins ; si bien que, naturellement, c'était l'impatience qui les faisait lever tôt, avides de participer à une mémorable réunion amicale.

1. 1 mile = 1 600 mètres.

And so it was. Some while ago, I had a letter from one of the Conklin sisters, now the wife of a naval captain and living in San Diego; she wrote: "I think of you often around this time of year, I suppose because of what happened at one of our Alabama Thanksgivings. It was a few years before Miss Sook died —would it be 1933? Golly, I'll never forget that day."

By noon, not another soul could be accommodated in the parlor, a hive humming with women's tattle and womanly aromas: Mrs. Wheelwright smelled of lilac water and Annabel Conklin like geraniums after rain. The odor of tobacco fanned out across the porch, where most of the men had clustered, despite the wavering weather, the alternations between sprinkles of rain and sunlit wind squalls. Tobacco was a substance alien to the setting; true, Miss Sook now and again secretly dipped snuff, a taste acquired under unknown tutelage and one she refused to discuss; her sisters would have been mortified had they suspected, and Uncle B., too, for he took a harsh stand on all stimulants, condemning them morally and medically.

The virile redolence of cigars, the pungent nip of pipe smoke, the tortoiseshell richness they evoked, constantly lured me out of the parlor onto the porch, though it was the parlor I preferred,

C'était bien cela. Il y a quelque temps, j'ai reçu une lettre de l'une des sœurs Conklin qui a épousé un officier de marine et vit à San Diego ; elle m'écrivait : « Je pense souvent à vous à ce moment de l'année ; ce doit être à cause de ce qui s'est passé à l'une de nos réunions du Thanksgiving en Alabama. C'était quelques années avant la mort de Miss Sook, peut-être en 1933 ? Mon Dieu, je n'oublierai jamais ce jour. »

Vers midi, le salon était plein à craquer, une véritable ruche bourdonnante du caquetage des femmes et pleine d'odeurs féminines. Mrs. Wheelwright embaumait l'essence de lilas et Annabel Conklin le géranium après la pluie. L'odeur du tabac se répandait à travers la véranda où presque tous les hommes s'étaient entassés en dépit du temps incertain, des averses qui alternaient avec les éclaircies accompagnées de bourrasques de vent. Le tabac était une substance insolite en ces lieux. À vrai dire, de temps en temps Miss Sook s'offrait en secret une petite prise ; un goût acquis sous quelque influence inconnue et dont elle refusait de parler. Si ses sœurs s'en étaient doutées, elles en eussent été mortifiées, et Oncle B. aussi car il était fermement opposé à tous les stimulants, qu'il condamnait au double titre de la morale et de la médecine.

La senteur virile des cigares, le goût âcre de la fumée de pipe, les luxueux objets d'écaille que cela évoquait, m'attiraient constamment du salon à la véranda, mais je préférais le salon,

due to the presence of the Conklin sisters, who played by turn our untuned piano with a gifted, rollicking lack of airs. "Indian Love Call" was among their repertoire, and also a 1918 war ballad, the lament of a child pleading with a house thief, entitled "Don't Steal Daddy's Medals, He Won Them for Bravery." Annabel played and sang it; she was the oldest of the sisters and the loveliest, though it was a chore to pick among them, for they were like quadruplets of unequal height. One thought of apples, compact and flavorful, sweet but cider-tart; their hair, loosely plaited, had the blue luster of a well-groomed ebony racehorse, and certain features, eyebrows, noses, lips when smiling, tilted in an original style that added humor to their charms. The nicest thing was that they were a bit plump: "pleasingly plump" describes it precisely.

It was while listening to Annabel at the piano, and falling in love with her, that I felt Odd Henderson. I say *felt* because I was aware of him before I saw him: the sense of peril that warns, say, an experienced woodsman of an impending encounter with a rattler or bobcat alerted me.

à cause de la présence des sœurs Conklin qui jouaient tour à tour sur notre piano désaccordé, avec brio et une alerte méconnaissance de la musique. Le *Chant d'amour indien* figurait à leur répertoire, ainsi qu'une complainte de la Grande Guerre, relatant les lamentations adressées par un enfant à un voleur, et intitulée : *Ne volez pas les médailles de papa, elles sont la récompense de son courage*. Annabel jouait et chantait cet air ; c'était l'aînée des sœurs et la plus jolie, bien qu'il fût difficile de choisir entre elles car elles se ressemblaient comme des quadruplées de tailles différentes. Elles faisaient penser à des pommes, compactes et parfumées, sucrées avec un arrière-goût acidulé de cidre. Leurs cheveux coiffés en tresses lâches avaient le lustre bleuté qu'ont les pelages des chevaux de course bien pansés, et certains traits de leurs visages, leurs sourcils, leurs nez, leurs lèvres quand elles souriaient, se retroussaient d'une façon particulière qui ajoutait l'humour à leurs charmes. Ce qu'elles avaient de plus charmant c'était leurs rondeurs ; « plaisamment potelées » est l'expression qui convient.

Ce fut en écoutant Annabel jouer du piano, et tandis que j'en tombais amoureux, que je flairai Odd Henderson. Je dis « flairai » car je sentis qu'il était là avant de l'avoir vu : je fus averti du péril comme, par exemple, un homme des bois expérimenté pressent la rencontre imminente avec un serpent à sonnettes ou un chat sauvage.

I turned, and there the fellow stood at the parlor entrance, half in, half out. To others he must have seemed simply a grubby twelve-year-old beanpole who had made some attempt to rise to the event by parting and slicking his difficult hair, the comb grooves were still damply intact. But to me he was as unexpected and sinister as a genie released from a bottle. What a dumbhead I'd been to think he wouldn't show up! Only a dunce wouldn't have guessed that he would come out of spite: the joy of spoiling for me this awaited day.

However, Odd had not yet seen me: Annabel, her firm, acrobatic fingers somersaulting over the warped piano keys, had diverted him, for he was watching her, lips separated, eyes slitted, as though he had come upon her disrobed and cooling herself in the local river. It was as if he were contemplating some wished-for vision; his already red ears had become pimiento. The entrancing scene so dazed him I was able to squeeze directly past him and run along the hall to the kitchen. "He's here!"

My friend had completed her work hours earlier; moreover she had two colored women helping out. Nevertheless she had been hiding in the kitchen since our party started, under a pretense of keeping

Je tournai la tête et il était là, à la porte du salon, hésitant sur le seuil. Aux yeux des autres, il devait simplement avoir l'air d'un grand échalas mal dégrossi d'une douzaine d'années ayant tenté de se mettre à la hauteur des circonstances en se faisant une raie et en lissant sa chevelure rebelle qui, tout humide, gardait encore les traces du peigne. Mais, pour moi, son apparition était aussi inattendue et sinistre que celle d'un génie libéré de sa bouteille. Quel idiot j'avais été de penser qu'il ne viendrait pas ! Il fallait être un âne pour ne pas avoir compris qu'il viendrait par méchanceté : pour le plaisir de me gâcher ce jour tant attendu.

Cependant, Odd ne m'avait pas encore vu : Annabel, de ses doigts fermes qui couraient acrobatiquement sur les touches gondolées du piano, l'avait distrait. Il la regardait la bouche entrouverte, les yeux mi-clos, comme s'il venait de la surprendre dévêtue en train de se baigner dans la rivière voisine. On aurait dit qu'il contemplait quelque apparition longtemps attendue ; ses oreilles déjà rouges étaient devenues couleur piment. Il était tellement fasciné par le spectacle qui s'offrait à sa vue que je pus me glisser derrière lui et courir le long du vestibule jusqu'à la cuisine : « Il est là ! »

Mon amie avait terminé son travail depuis plusieurs heures ; en outre, elle avait pour lui venir en aide deux femmes de couleur. Cela ne l'avait pas empêchée d'aller se cacher à la cuisine jusqu'à ce que la fête commençât, sous le prétexte de tenir

the exiled Queenie company. In truth, she was afraid of mingling with any group, even one composed of relatives, which was why, despite her reliance on the Bible and its Hero, she rarely went to church. Although she loved all children and was at ease with them, she was not acceptable as a child, yet she could not accept herself as a peer of grownups and in a collection of them behaved like an awkward young lady, silent and rather astonished. But the *idea* of parties exhilarated her; what a pity she couldn't take part invisibly, for then how festive she would have felt.

I noticed that my friend's hands were trembling; so were mine. Her usual outfit consisted of calico dresses, tennis shoes and Uncle B.'s discarded sweaters; she had no clothes appropriate to starchy occasions. Today she was lost inside something borrowed from one of her stout sisters, a creepy navy-blue dress its owner had worn to every funeral in the county since time remembered.

"He's here," I informed her for the third time. "Odd Henderson."

"Then why aren't you with him?" she said admonishingly. "That's not polite, Buddy. He's your particular guest. You ought to be out there seeing he meets everybody and has a good time."

compagnie à la pauvre Queenie exilée. En vérité, elle avait peur de se trouver mêlée à l'un quelconque des groupes, même composé de proches parents ; c'était d'ailleurs la raison pour laquelle, malgré sa foi en la Bible et en son Héros, elle se rendait rarement à l'église. Bien qu'elle aimât tous les enfants et fût à l'aise avec eux, on ne pouvait la traiter comme une enfant, cependant, elle n'arrivait pas à se considérer comme l'égale des grandes personnes et, en présence des adultes, se comportait comme une jeune fille gauche, silencieuse et légèrement ahurie. Mais l'*idée* des fêtes la ravissait ; quel dommage qu'elle n'ait pu y participer, invisible, car elle s'y fût alors sentie au comble du bonheur.

Je remarquai que les mains de mon amie tremblaient ; les miennes aussi. Sa tenue habituelle consistait en une robe de calicot et des sandales de tennis, à quoi venaient s'ajouter les chandails mis au rebut par Oncle B. ; elle ne possédait pas de tenue appropriée aux grandes occasions. Ce jour-là, elle était perdue dans un vêtement emprunté à l'une de ses corpulentes sœurs, une robe de crêpe bleu marine que sa propriétaire avait arborée à tous les enterrements du comté depuis des éternités.

« Il est là, répétai-je pour la troisième fois. Odd Henderson.

— Alors, pourquoi n'es-tu pas avec lui ? dit-elle sur un ton de réprimande. Ce n'est pas poli, Buddy. Il est ton invité. C'est à toi de veiller à ce qu'il fasse connaissance avec tout le monde et ne s'ennuie pas.

"I *can't*. I can't speak to him."

Queenie was curled on her lap, having a head rub; my friend stood up, dumping Queenie and disclosing a stretch of navy-blue material sprinkled with dog hair, said "*Buddy*. You mean you haven't spoken to that boy!" My rudeness obliterated her timidity; taking me by the hand, she steered me to the parlor.

She need not have fretted over Odd's welfare. The charms of Annabel Conklin had drawn him to the piano. Indeed, he was scrunched up beside her on the piano seat, sitting there studying her delightful profile, his eyes opaque as the orbs of the stuffed whale I'd seen that summer when a touring honky-tonk passed through town (it was advertised as *The Original Moby Dick*, and it cost five cents to view the remains—what a bunch of crooks!). As for Annabel, she would flirt with anything that walked or crawled—no, that's unfair, for it was really a form of generosity, of simply being alive. Still, it gave me a hurt to see her playing cute with that mule skinner.

Hauling me onward, my friend introduced herself to him: "Buddy and I, we're so happy you could come." Odd had the manners of a billy goat: he didn't stand up or offer his hand, hardly looked at her and at me not at all. Daunted but dead game, my friend said:

— Je ne *peux pas*. Je suis incapable de lui parler. »

Queenie lovée sur les genoux de Miss Sook se laissait gratter le crâne. Mon amie se mit debout, laissant Queenie glisser à terre, et déploya le devant de sa robe bleue parsemée de poils. « *Buddy*. Veux-tu dire que tu n'as pas encore parlé à ce garçon ! » Mon manque de civilité lui fit oublier sa timidité ; me saisissant par la main, elle m'entraîna vers le salon.

Elle avait tort de se faire du souci pour Odd. Attiré par les charmes d'Annabel Conklin, il s'était approché du piano. En fait, serré contre elle sur le tabouret du piano, il scrutait son ravissant profil de ses yeux aussi opaques que ceux de la baleine empaillée que j'avais vue cet été-là lors du passage d'une attraction foraine dans la ville (elle annonçait l'exhibition de la *Véritable Moby Dick* et il en coûtait cinq *cents* pour voir sa dépouille — quelle bande d'escrocs !). Quant à Annabel, elle aurait flirté avec n'importe quelle créature capable de marcher ou de ramper... Non, je suis injuste, c'était chez elle une forme de générosité, ou simplement une manifestation de vitalité. Pourtant, cela me fit un choc de la voir se mettre en frais pour ce butor.

Me poussant devant elle, mon amie se présenta : « Buddy et moi sommes très heureux que tu sois venu. » Odd était aussi mal élevé qu'un bouc : il ne se leva pas, ne tendit pas la main, la regarda à peine et ne me regarda, moi, pas du tout. Décontenancée mais tenant bon, mon amie dit :

"Maybe Odd will sing us a tune. I know he can; his mother told me so. Annabel, sugar, play something Odd can sing."

Reading back, I see that I haven't thoroughly described Odd Henderson's ears—a major omission, for they were a pair of eye-catchers, like Alfalfa's in the *Our Gang* comedy pictures. Now, because of Annabel's flattering receptivity to my friend's request, his ears became so beetbright it made your eyes smart. He mumbled, he shook his head hangdog; but Annabel said: "Do you know 'I Have Seen the Light'?" He didn't, but her next suggestion was greeted with a grin of recognition; the biggest fool could tell his modesty was all put on.

Giggling, Annabel struck a rich chord, and Odd, in a voice precociously manly, sang: "When the red, red robin comes bob, bob, bobbin' along." The Adam's apple in his tense throat jumped; Annabel's enthusiasm accelerated; the women's shrill hen chatter slackened as they became aware of the entertainment. Odd was good, he could sing for sure, and the jealousy charging through me had enough power to electrocute a murderer.

« Odd pourrait peut-être nous chanter quelque chose. Je sais qu'il chante, sa mère me l'a dit. Annabel, mon chou, joue quelque chose qu'Odd puisse chanter. »

En me relisant, je m'aperçois que je n'ai pas suffisamment décrit les oreilles d'Odd Henderson — grave omission, car c'étaient des oreilles qui ne passaient pas inaperçues, comme celles d'Alfalfa dans le film comique *Our Gang*[1]. Or, à la suite de l'accueil flatteur que fit Annabel à la requête de mon amie, les oreilles d'Odd devinrent rouges comme des betteraves, d'un rouge à vous faire mal aux yeux. Il marmonna quelque chose, secoua la tête, contrit. Mais Annabel dit : « Connaissez-vous *J'ai vu la lumière* ? » Non, celle-là, il ne la connaissait pas mais il accueillit la suivante avec un sourire de connivence ; le dernier des imbéciles aurait compris que sa modestie n'était qu'une feinte.

Contenant mal son rire, Annabel plaqua un accord et Odd, d'une voix précocement virile, entonna : « Quand le rouge, rouge-gorge sautille, sautille... » Sa pomme d'Adam se soulevait rythmiquement sur sa gorge tendue. Dans son enthousiasme, Annabel précipita le mouvement ; les caquètements de volailles des femmes décrurent à mesure qu'elles prirent conscience de l'attraction. Odd s'en tirait bien, il savait assurément chanter, et la jalousie qui s'accumulait en moi aurait produit une décharge suffisante pour électrocuter un condamné.

1. Notre bande.

Murder was what I had in mind; I could have killed him as easily as swat a mosquito. Easier.

Once more, unnoticed even by my friend, who was absorbed in the musicale, I escaped the parlor and sought The Island. That was the name I had given a place in the house where I went when I felt blue or inexplicably exuberant or just when I wanted to think things over. It was a mammoth closet attached to our only bathroom; the bathroom itself, except for its sanitary fixtures, was like a cozy winter parlor, with a horsehair love seat, scatter rugs, a bureau, a fireplace and framed reproductions of "The Doctor's Visit," "September Morn," "The Swan Pool" and calendars galore.

There were two small stained-glass windows in the closet; lozenge-like patterns of rose, amber and green light filtered through the windows, which looked out on the bathroom proper. Here and there patches of color had faded from the glass or been chipped away; by applying an eye to one of these clearings, it was possible to identify the room's visitors. After I'd been secluded there awhile, brooding over my enemy's success, footsteps intruded: Mrs. Mary Taylor Wheelwright, who stopped before a mirror, smacked her face with a powder puff, rouged her antique cheeks

Des idées de meurtre me venaient à l'esprit. Je l'aurais tué aussi facilement qu'on écrase un moustique. Plus facilement.

Une fois de plus, sans être remarqué, même de mon amie absorbée par la musique, je m'échappai du salon pour aller chercher asile dans l'Ile. C'était le nom que j'avais donné à une pièce de la maison où j'allais m'enfermer quand je me sentais déprimé, ou inexplicablement exubérant, ou tout simplement quand je voulais réfléchir. C'était un vaste réduit contigu à notre unique salle de bains. La salle de bains elle-même, en dehors de ses appareils sanitaires, ressemblait à un confortable petit salon et contenait un confident capitonné, des tapis épars, un bureau, une cheminée, des reproductions encadrées de *La Visite du docteur, Matinée de septembre, L'Étang au cygne,* et des calendriers à profusion.

Le réduit avait deux petites fenêtres garnies de vitraux qui donnaient sur la salle de bains ; une lumière rose, ambrée et verte filtrait à travers les carreaux en losange. De place en place la couleur avait pâli ou avait été effacée : en appliquant un œil contre l'une de ces taches claires, on pouvait voir qui entrait dans la pièce. Il y avait un moment déjà que j'étais reclus en ce lieu à ruminer le succès de mon ennemi lorsque des pas se firent entendre : c'était Mrs. Mary Taylor Wheelwright qui s'arrêta devant un miroir, tapota son visage avec une houppette à poudre, farda ses vieilles joues,

123

and then, perusing the effect, announced: "Very nice, Mary. Even if Mary says so herself."

It is well known that women outlive men; could it merely be superior vanity that keeps them going? Anyway, Mrs. Wheelwright sweetened my mood, so when, following her departure, a heartily rung dinner bell sounded through the house, I decided to quit my refuge and enjoy the feast, regardless of Odd Henderson.

But just then footsteps echoed again. *He* appeared, looking less sullen than I'd ever seen him. Strutty. Whistling. Unbuttoning his trousers and letting go with a forceful splash, he whistled along, jaunty as a jaybird in a field of sunflowers. As he was leaving, an open box on the bureau summoned his attention. It was a cigar box in which my friend kept recipes torn out of newspapers and other junk, as well as a cameo brooch her father had long ago given her. Sentimental value aside, her imagination had conferred upon the object a rare costliness; whenever we had cause for serious grievance against her sisters or Uncle B., she would say, "Never mind, Buddy. We'll sell my cameo and go away. We'll take the bus to New Orleans." Though never discussing what we would do once we arrived in New Orleans,

puis étudiant avec soin le résultat, décréta : « Très bien, Mary. Même si Mary est seule de cet avis. »

C'est un fait bien connu que les femmes survivent aux hommes ; serait-ce parce qu'une vanité plus grande les soutient ? En tout cas, Mrs. Wheelwright apaisa ma mauvaise humeur et quand, après son départ, une cloche énergique résonna à travers la maison pour annoncer le repas, je décidai de quitter mon refuge et d'aller prendre part aux réjouissances sans m'occuper d'Odd Henderson.

Mais, juste à ce moment-là, de nouveaux pas retentirent. *Il* entra et je lui trouvai l'air moins renfrogné que d'habitude. Se pavanant. Sifflotant. Il déboutonna sa culotte et se soulagea d'un jet vigoureux sans cesser de siffler, faraud comme un geai dans un champ de tournesols. Comme il allait repartir, une boîte ouverte sur le bureau attira son attention. C'était une boîte à cigares dans laquelle mon amie conservait des recettes de cuisine découpées dans des journaux et d'autres bricoles, ainsi qu'un camée monté en broche que son père lui avait donné autrefois. Sa valeur sentimentale mise à part, l'imagination de mon amie avait conféré à cet objet une exceptionnelle valeur marchande. Chaque fois que nous avions de sérieux griefs à l'encontre de ses sœurs ou de l'Oncle B., elle disait : « Ça ne fait rien, Buddy. Nous vendrons mon camée et nous nous en irons. Nous prendrons le car pour La Nouvelle-Orléans. » Bien que nous n'ayons jamais débattu de ce que nous ferions à La Nouvelle-Orléans,

or what we would live on after the cameo money ran out, we both relished this fantasy. Perhaps each of us secretly realized the brooch was only a Sears Roebuck novelty; all the same, it seemed to us a talisman of true, though untested, magic: a charm that promised us our freedom if indeed we did decide to pursue our luck in fabled spheres. So my friend never wore it, for it was too much a treasure to risk its loss or damage.

Now I saw Odd's sacrilegious fingers reach toward it, watched him bounce it in the palm of his hand, drop it back in the box and turn to go. Then return. This time he swiftly retrieved the cameo and sneaked it into his pocket. My boiling first instinct was to rush out of the closet and challenge him; at that moment, I believe I could have pinned Odd to the floor. *But*—Well, do you recall how, in simpler days, funny-paper artists used to illustrate the birth of an idea by sketching an incandescent light bulb above the brow of Mutt or Jeff or whomever ? That's how it was with me: a sizzling light bulb suddenly radiated my brain. The shock and brilliance of it made me burn and shiver—laugh, too.

ou de quoi nous pourrions vivre une fois épuisé l'argent du camée, nous nous complaisions tous deux à ce fantasme. Peut-être chacun de nous savait-il, au fond, que la broche n'était qu'un objet de pacotille acheté chez Sears Roebuck ; malgré tout, sans la moindre preuve, nous la considérions comme un talisman chargé d'une magie virtuelle : un fétiche garant de notre liberté pour le cas où nous aurions décidé de courir notre chance dans un monde fabuleux. Aussi mon amie ne la portait-elle jamais : c'était un trésor trop précieux pour qu'elle risquât de le perdre ou de l'abîmer.

Donc, je vis les doigts sacrilèges d'Odd se tendre vers la broche, je l'observai en train de la faire sauter dans sa main ; ensuite, il la laissa retomber dans la boîte et se détourna pour partir. Puis il revint sur ses pas. Cette fois, il reprit vivement le camée et le glissa d'un geste furtif dans sa poche. Dans un premier mouvement de rage, je faillis bondir hors du réduit et me jeter sur lui ; je crois qu'en cet instant j'aurais pu le terrasser. *Mais*... Voyons, vous souvenez-vous de la manière dont, au bon vieux temps, les dessinateurs humoristiques représentaient la naissance d'une idée : ils esquissaient au-dessus du front de Mutt, de Jeff ou de n'importe lequel de leurs héros une ampoule incandescente. C'est ce qui m'arriva : une ampoule grésillante irradia mon cerveau. Le choc que je ressentis et la lumière éclatante me laissèrent brûlant et tremblant. Un rire aussi me secoua.

Odd had handed me an ideal instrument for revenge, one that would make up for all the cockleburs.

In the dining room, long tables had been joined to shape a T. Uncle B. was at the upper center, Mrs. Mary Taylor Wheelwright at his right and Mrs. Conklin at his left. Odd was seated between two of the Conklin sisters, one of them Annabel, whose compliments kept him in top condition. My friend had put herself at the foot of the table among the youngest children; according to her, she had chosen the position because it provided quicker access to the kitchen, but of course it was because that was where she wished to be. Queenie, who had somehow got loose, was under the table—trembling and wagging with ecstasy as she skittered between the rows of legs—but nobody seemed to object, probably because they were hypnotized by the uncarved, lusciously glazed turkeys and the excellent aromas rising from dishes of okra and corn, onion fritters and hot mince pies.

My own mouth would have watered if it hadn't gone bone-dry at the heart-pounding prospect of total revenge. For a second, glancing at Odd Henderson's suffused face, I experienced a fragmentary regret, but I really had no qualms.

Odd venait de me fournir un idéal instrument de représailles, un moyen de le faire payer pour tous les graterons.

Dans la salle à manger, de longues tables avaient été assemblées en forme de T. Oncle B. était au centre et au sommet du T, Mrs. Mary Taylor Wheelwright à sa droite et Mrs. Conklin à sa gauche. Odd était assis entre deux des sœurs Conklin, dont l'une était Annabel et les compliments de celle-ci le maintenaient dans le ravissement. Mon amie s'était installée à l'extrémité de la table, parmi les enfants les plus jeunes ; à l'entendre, elle avait choisi cette place parce que c'était la plus proche de la cuisine, mais en réalité, c'était celle qu'elle préférait. Queenie qui, d'une façon ou d'une autre, s'était échappée de la cuisine, était sous la table, tremblant et remuant la queue d'allégresse tout en quêtant des restes entre des rangées de jambes, mais personne ne semblait y voir d'inconvénient ; sans doute étaient-ils tous hypnotisés par les dindes encore non découpées, dorées à point et les délicieux arômes qui s'élevaient des plats de gombo[1] et de maïs, d'oignons frits et de pâtés chauds.

J'aurais moi-même eu l'eau à la bouche si mes battements de cœur à la perspective d'une revanche définitive n'avaient tari ma salive. Un instant, devant le visage empourpré d'Odd Henderson, je fus traversé d'un regret, mais cela n'alla pas jusqu'au scrupule de conscience.

1. Gombo : soupe aux haricots.

Uncle B. recited grace. Head bowed, eyes shut, calloused hands prayerfully placed, he intoned: "Bless You, O Lord, for the bounty of our table, the varied fruits we can be thankful for on this Thanksgiving Day of a troubled year"—his voice, so infrequently heard, croaked with the hollow imperfections of an old organ in an abandoned church—"Amen."

Then, as chairs were adjusted and napkins rustled, the necessary pause I'd been listening for arrived. "Someone here is a thief." I spoke clearly and repeated the accusation in even more measured tones: "Odd Henderson is a thief. He stole Miss Sook's cameo."

Napkins gleamed in suspended, immobilized hands. Men coughed, the Conklin sisters gasped in quadruplet unison and little Perk McCloud, Jr., began to hiccup, as very young children will when startled.

My friend, in a voice teetering between reproach and anguish, said, "Buddy doesn't mean that. He's only teasing."

"I do mean it. If you don't believe me, go look in your box. The cameo isn't there. Odd Henderson has it in his pocket."

Oncle B. récita les grâces. La tête penchée, les yeux clos, ses mains calleuses jointes dans l'attitude de la prière, il entonna : « Sois béni, ô Seigneur, pour la profusion sur notre table de tes dons généreux, pour les produits de la terre dont nous pouvons Te remercier en ce Jour de Thanksgiving d'une année troublée. » Sa voix, qu'on entendait si rarement, avait les intonations lugubres et caverneuses d'un vieil orgue dans une église abandonnée. « Amen. »

Ensuite, tandis que chacun s'installait sur sa chaise et dépliait sa serviette, se produisit la pause que j'avais attendue : « Il y a un voleur ici. » J'avais parlé d'une voix claire et je répétai mon accusation sur un ton encore plus mesuré : « Odd Henderson est un voleur. Il a pris le camée de Miss Sook. »

Les serviettes jetèrent des éclairs blancs entre les mains tout à coup immobilisées. Des hommes toussèrent, les sœurs Conklin ouvrirent la bouche comme un quatuor à l'unisson qui va reprendre son souffle, et le petit Perk McCloud Jr. fut pris de hoquet, comme cela arrive aux jeunes enfants sous l'effet de la surprise.

Mon amie, d'une voix qui hésitait entre la remontrance et l'angoisse, dit : « Buddy ne parle pas sérieusement. Ce n'est qu'une taquinerie.

— Mais si je parle sérieusement. Si tu ne me crois pas, va voir dans ta boîte. Le camée n'y est plus. Il est dans la poche d'Odd Henderson.

"Buddy's had a bad croup," she murmured. "Don't blame him, Odd. He hasn't a notion what he's saying."

I said, "Go look in your box. I saw him take it."

Uncle B., staring at me with an alarming wintriness, took charge. "Maybe you'd better," he told Miss Sook. "That should settle the matter."

It was not often that my friend disobeyed her brother; she did not now. But her pallor, the mortified angle of her shoulders, revealed with what distaste she accepted the errand. She was gone only a minute, but her absence seemed an eon. Hostility sprouted and surged around the table like a thorn-encrusted vine growing with uncanny speed—and the victim trapped in its tendrils was not the accused, but his accuser. Stomach sickness gripped me; Odd, on the other hand, seemed calm as a corpse.

Miss Sook returned, smiling. "Shame on you, Buddy," she chided, shaking a finger. "Playing that kind of joke. My cameo was exactly where I left it."

Uncle B. said, "Buddy, I want to hear you apologize to our guest."

"No, he don't have to do that," Odd Henderson said, rising. "He was telling the truth." He dug into his pocket and put the cameo on the table.

— Buddy a eu un mauvais croup, murmura-t-elle. Ne lui en veux pas, Odd. Il ne sait pas ce qu'il dit. »

Je repris : « Va voir dans ta boîte. Je l'ai vu le prendre. »

Oncle B., jetant sur moi un inquiétant regard glacé, prit l'affaire en main : « Tu ferais peut-être mieux d'y aller, dit-il à Miss Sook. Cela réglerait la question. »

Il était bien rare que mon amie désobéît à son frère. Elle ne discuta donc pas. Mais sa pâleur, l'affaissement de ses épaules, révélaient avec quelle répugnance elle se pliait à cet ordre. Elle ne s'absenta pas plus d'une minute, mais cette minute me parut durer une éternité. L'hostilité naquit et crût autour de la table comme une plante grimpante épineuse qui se serait développée à une vitesse inexplicable — et la victime prise au piège de ses vrilles n'était pas l'accusé, mais l'accusateur. Mon estomac se contracta. Odd, pendant ce temps, était resté aussi impassible qu'un mort.

Miss Sook revint en souriant : « Tu n'as pas honte, Buddy, dit-elle en me menaçant du doigt, de faire des farces pareilles. Mon camée est exactement où je l'avais laissé. »

Oncle B. dit : « Buddy, j'exige de t'entendre faire des excuses à notre invité.

— Non, il n'a pas à me faire d'excuses, intervint Odd en se levant. Il a dit la vérité. » Il plongea la main dans sa poche et posa le camée sur

"I wish I had some excuse to give. But I ain't got none." Starting for the door, he said, "You must be a special lady, Miss Sook, to fib for me like that." And then, damn his soul, he walked right out of there.

So did I. Except I ran. I pushed back my chair, knocking it over. The crash triggered Queenie; she scooted from under the table, barked and bared her teeth. And Miss Sook, as I went past her, tried to stop me: "Buddy!" But I wanted no part of her *or* Queenie. That dog had snarled at me and my friend had taken Odd Henderson's side, she'd lied to save his skin, betrayed our friendship, my love: things I'd thought could never happen.

Simpson's pasture lay below the house, a meadow brilliant with high November gold and russet grass. At the edge of the pasture there were a gray barn, a pig corral, a fenced-in chicken yard and a smokehouse. It was the smokehouse I slipped into, a black chamber cool on even the hottest summer days. It had a dirt floor and a smoke pit that smelled of hickory cinders and creosote;

la table : « J'aimerais bien avoir une excuse à présenter. Mais je n'en ai aucune. » Se dirigeant vers la porte, il ajouta : « Vous devez être une dame pas ordinaire, Miss Sook, pour avoir menti pour moi comme ça. » Puis, maudit soit-il, il partit sans se retourner.

Moi aussi. Mais ce fut en courant. Je repoussai ma chaise et la fis tomber. Le fracas fit réagir brusquement Queenie ; elle bondit en aboyant de sous la table et montra les dents. Miss Sook, tandis que je passais derrière elle, tenta de m'arrêter : « Buddy ! » Mais je ne voulais avoir affaire ni à elle ni à Queenie. Ce chien m'avait montré les dents et mon amie avait pris parti pour Odd Henderson, elle avait menti pour lui sauver la mise, trahi notre amitié et mon amour : toutes choses que je n'aurais jamais crues possibles.

Le pâturage des Simpson était en contrebas de la maison ; c'était une prairie où flamboyaient les hautes herbes aux reflets roux et dorés de novembre. À la limite de ce pré, se dressait une grange grisâtre, un enclos à cochons, une basse-cour clôturée et un fumoir pour les viandes. Je me glissai dans le fumoir qui était une chambre noire, fraîche même aux périodes de canicule. Le sol était boueux et la fosse à fumée sentait les cendres d'hickory et la créosote[1] ;

1. Hickory, variété de noyer. Créosote, désinfectant.

rows of hams hung from rafters. It was a place I'd always been wary of, but now its darkness seemed sheltering. I fell on the ground, my ribs heaving like the gills of a beachstranded fish; and I didn't care that I was demolishing my one nice suit, the one with long trousers, by thrashing about on the floor in a messy mixture of earth and ashes and pork grease.

One thing I knew: I was going to quit that house, that town, that night. Hit the road. Hop a freight and head for California. Make my living shining shoes in Hollywood. Fred Astaire's shoes. Clark Gable's. Or—maybe I just might become a movie star myself. Look at Jackie Cooper. Oh, they'd be sorry then. When I was rich and famous and refused to answer their letters and even telegrams, probably.

Suddenly I thought of something that would make them even sorrier. The door to the shed was ajar, and a knife of sunshine exposed a shelf supporting several bottles. Dusty bottles with skull-and-cross-bone labels. If I drank from one of those, then all of them up there in the dining room, the whole swilling and gobbling caboodle, would know what sorry was.

des rangées de jambons pendaient aux poutres. C'était un endroit que j'avais toujours évité mais, à ce moment, l'obscurité qui y régnait me faisait l'effet d'un abri. Je me jetai à terre ; mes côtes se soulevaient comme les ouïes d'un poisson échoué sur le sable et je me moquais bien de gâter mon unique beau costume, le seul qui eût des pantalons longs, en me débattant sur le sol dans un mélange de terre, de cendres et de graisse de porc.

Une chose était sûre : j'allais quitter le soir même cette maison et cette ville. Prendre la route. Sauter dans un train de marchandises et me diriger vers la Californie. Gagner ma vie en cirant des souliers à Hollywood. Les souliers de Fred Astaire. Ceux de Clark Gable. Ou bien peut-être deviendrai-je moi-même vedette de cinéma. Comme Jackie Cooper. Oh, alors, ils me regretteraient. Quand je serais riche et célèbre et que je refuserais de répondre à leurs lettres et même, sans doute, à leurs télégrammes.

Tout à coup me vint à l'idée un moyen d'accroître encore leurs regrets. La porte de la cabane était entrouverte et un rayon de soleil éclairait une planche sur laquelle étaient posées plusieurs bouteilles. Des bouteilles poussiéreuses dont les étiquettes portaient des images de crânes et de tibias. Si je buvais le contenu d'une de ces bouteilles, alors eux tous là-bas, dans la salle à manger, qui lampaient leurs verres et mangeaient comme des goinfres, sauraient ce qu'était le regret.

It was worth it, if only to witness Uncle B.'s remorse when they found me cold and stiff on the smokehouse floor; worth it to hear the human wails and Queenie's howls as my coffin was lowered into cemetery depths.

The only hitch was, I wouldn't actually be able to see or hear any of this: how could I, being dead? And unless one can observe the guilt and regret of the mourners, surely there is nothing satisfactory about being dead?

Uncle B. must have forbidden Miss Sook to go look for me until the last guest had left the table. It was late afternoon before I heard her voice floating across the pasture; she called my name softly, forlornly as a mourning dove. I stayed where I was and did not answer.

It was Queenie who found me; she came sniffing around the smokehouse and yapped when she caught my scent, then entered and crawled toward me and licked my hand, an ear and a cheek; she knew she had treated me badly.

Presently, the door swung open and the light widened. My friend said, "Come here, Buddy." And I wanted to go to her. When she saw me, she laughed. "Goodness, boy. You look dipped in tar and all ready

Cela vaudrait la peine d'être seulement témoin des remords d'Oncle B. lorsqu'ils me découvriraient raide et froid sur le sol du fumoir ; cela vaudrait la peine d'entendre les lamentations des humains et les hurlements de douleur de Queenie lorsque mon cercueil serait enfoui dans la profondeur de la terre.

La seule chose qui clochait, c'est que je ne pourrais ni voir ni entendre effectivement rien de tout cela : comment aurais-je pu, une fois mort ? Et, à moins de pouvoir observer les mines coupables et le repentir de ceux qui vous pleuraient, quelle satisfaction pouvait-on éprouver à être mort ?

Oncle B. devait avoir interdit à Miss Sook d'aller à ma recherche avant que le dernier convive se fût levé de table. Il était tard dans l'après-midi lorsque me parvint le son de sa voix flottant par-dessus le pâturage ; elle m'appelait doucement par mon nom, avec des accents désolés de colombe en pleurs. Je ne bougeai ni ne répondis.

Ce fut Queenie qui me trouva. Elle vint flairer autour du fumoir et se mit à japper lorsqu'elle sentit mon odeur ; puis elle entra, rampa vers moi et me lécha les mains, une oreille et la joue ; elle savait qu'elle avait mal agi envers moi.

Bientôt la porte s'ouvrit toute grande et la lumière se fit. Mon amie dit : « Viens ici, Buddy » et j'obéis de bon cœur. En me voyant, elle se mit à rire : « Bonté divine, mon garçon. On dirait que tu t'es plongé dans le goudron et que tu es prêt

for feathering." But there were no recriminations or references to my ruined suit.

Queenie trotted off to pester some cows; and trailing after her into the pasture, we sat down on a tree stump. "I saved you a drumstick," she said, handing me a parcel wrapped in waxed paper. "And your favorite piece of turkey. The pulley."

The hunger that direr sensations had numbed now hit me like a belly-punch. I gnawed the drumstick clean, then stripped the pulley, the sweet part of the turkey around the wishbone.

While I was eating, Miss Sook put her arm around my shoulders. "There's just this I want to say, Buddy. Two wrongs never made a right. It was wrong of him to take the cameo. But we don't know why he took it. Maybe he never meant to keep it. Whatever his reason, it can't have been calculated. Which is why what you did was much worse: you *planned* to humiliate him. It was deliberate. Now listen to me, Buddy: there is only one unpardonable sin—*deliberate cruelty*. All else can be forgiven. That, never. Do you understand me, Buddy?"

à être roulé dans la plume[1]. » Mais elle ne m'adressa aucun reproche au sujet de mon costume gâché ; elle n'y fit pas même allusion.

Queenie s'élança dans le pré pour importuner quelques vaches. Nous partîmes à sa suite et nous assîmes sur une souche. « J'ai mis de côté pour toi un pilon, dit-elle en me tendant un paquet enveloppé de papier sulfurisé, et ton morceau favori dans la dinde, le blanc de la lunette. »

La faim, que des sensations plus affligeantes avaient abolie en moi, me saisit brutalement. Je rongeai le pilon et mis à nu l'os fourchu dont le blanc est la partie la plus tendre de la dinde.

Pendant que je mangeais, Miss Sook entoura de son bras mes épaules : « Je veux seulement te dire une chose Buddy. Deux mauvaises actions ne peuvent pas en engendrer une bonne. C'était mal de sa part de prendre le camée. Mais nous ne savons pas pourquoi il l'a pris. Peut-être n'avait-il pas l'intention de le garder. Quel que fût son motif, il ne pouvait être prémédité. C'est pourquoi ce que tu as fait est beaucoup plus mal : tu avais *décidé* de l'humilier. Tu avais réfléchi. Écoute-moi bien, Buddy : il n'y a qu'un seul péché qui soit impardonnable : la *cruauté délibérée*. Tout le reste peut être pardonné. Cela, jamais. Est-ce que tu me comprends, Buddy ? »

1. Allusion à une vieille coutume américaine consistant à enduire de goudron un individu avant de le rouler dans la plume. Voir Edgar Poe : « Le Système du docteur Goudron et du professeur Plume » *(Histoires grotesques et sérieuses).*

I did, dimly, and time has taught me that she was right. But at that moment I mainly comprehended that because my revenge had failed, my method must have been wrong. Odd Henderson had emerged—how? why?—as someone superior to me, even more honest.

"Do you, Buddy? Understand?"

"Sort of. Pull," I said, offering her one prong of the wishbone.

We split it; my half was the larger, which entitled me to a wish. She wanted to know what I'd wished.

"That you're still my friend."

"Dumbhead," she said, and hugged me.

"Forever?"

"I won't be here forever, Buddy. Nor will you." Her voice sank like the sun on the pasture's horizon, was silent a second and then climbed with the strength of a new sun. "But yes, forever. The Lord willing, you'll be here long after I've gone. And as long as you remember me, then we'll always be together."...

Afterwards, Odd Henderson let me alone. He started tussling with a boy his own age, Squirrel McMillan. And the next year, because of Odd's poor grades and general bad conduct, our school principal wouldn't allow him to attend classes,

Je comprenais, vaguement, et, avec l'âge, je me suis rendu compte qu'elle avait raison. Mais, sur le moment, je comprenais surtout que, ma vengeance ayant échoué, la méthode employée ne devait pas être bonne. À l'issue de l'aventure, Odd Henderson se retrouvait — comment et pourquoi ? — supérieur à moi, et passait même pour plus honnête.

« Alors, Buddy, tu comprends ?

— À peu près. Tire », dis-je en lui tendant l'une des branches de l'os fourchu.

Nous tirâmes chacun de notre côté et l'os se rompit ; j'obtins la moitié la plus grosse, ce qui me donnait droit à un vœu. Elle voulut savoir ce que j'avais souhaité.

« Que tu sois encore mon amie.

— Idiot, dit-elle, et elle me serra dans ses bras.

— Pour toujours.

— Je ne serai pas toujours là, Buddy. Et toi non plus. » Sa voix s'était faite plus basse, comme le soleil à l'horizon de la prairie. Elle demeura silencieuse un instant puis reprit, avec la vigueur d'un nouveau soleil : « Mais oui, pour toujours. Si Dieu le veut, tu seras encore ici longtemps après que j'en serai partie. Et aussi longtemps que tu te souviendras de moi, nous serons ensemble... »

À la suite de cet incident, Odd Henderson me laissa tranquille. Il se mit à se bagarrer avec un garçon de son âge, McMillan l'Écureuil. Et l'année suivante, à cause de ses mauvaises notes et de sa mauvaise conduite, notre directeur d'école le renvoya.

so he spent the winter working as a hand on a dairy farm. The last time I saw him was shortly before he hitchhiked to Mobile, joined the Merchant Marine and disappeared. It must have been the year before I was packed off to a miserable fate in a military academy, and two years prior to my friend's death. That would make it the autumn of 1934.

Miss Sook had summoned me to the garden; she had transplanted a blossoming chrysanthemum bush into a tin washtub and needed help to haul it up the steps onto the front porch, where it would make a fine display. It was heavier than forty fat pirates, and while we were struggling with it ineffectually, Odd Henderson passed along the road. He paused at the garden gate and then opened it, saying, "Let me do that for you, ma'am." Life on a dairy farm had done him a lot of good; he'd thickened, his arms were sinewy and his red coloring had deepened to a ruddy brown. Airily he lifted the big tub and placed it on the porch.

My friend said, "I'm obliged to you, sir. That was neighborly."

"Nothing," he said, still ignoring me.

Il passa l'hiver à travailler comme manœuvre dans une ferme laitière. Je le vis pour la dernière fois peu avant son départ en auto-stop pour Mobile, où il s'engagea dans la marine marchande et disparut. Ce devait être un an avant que je fusse expédié vers un destin misérable dans une académie militaire[1] et deux ans avant la mort de mon amie. C'est-à-dire à l'automne de 1934.

Miss Sook m'avait appelé au jardin ; elle avait transplanté tout un massif de chrysanthèmes en fleur dans un tub en zinc et avait besoin d'aide pour le hisser au haut des marches qui menaient à la véranda de la façade, où les fleurs feraient bel effet. C'était plus lourd que quarante pirates bien gras et, tandis que nous nous démenions sans résultat, Odd Henderson passa sur la route. Il s'arrêta à la porte du jardin et l'ouvrit en disant : « Laissez-moi faire ça, m'dame. » La vie à la ferme lui avait fait beaucoup de bien : il avait grossi, ses bras étaient devenus vigoureux et ses cheveux roux qui avaient foncé étaient maintenant d'un brun rougeâtre. Avec aisance il souleva le grand tub et le plaça sous la véranda.

Mon amie dit : « Je vous suis bien reconnaissante, monsieur. C'est d'un bon voisin.

— Ce n'est rien », dit-il, feignant toujours de ne pas me voir.

1. St John's Military Academy, à 45 kilomètres de New York.

Miss Sook snapped the stems of her showiest blooms. "Take these to your mother," she told him, handing him the bouquet. "And give her my love."

"Thank you, ma'am. I will."

"Oh, Odd," she called, after he'd regained the road, "be careful! They're lions, you know." But he was already out of hearing. We watched until he turned a bend at the corner, innocent of the menace he carried, the chrysanthemums that burned, that growled and roared against a greenly lowering dusk.

Miss Sook coupa les tiges de ses fleurs les plus éclatantes : « Prends ceci pour ta mère, lui dit-elle en lui tendant le bouquet, et fais-lui mes amitiés.

— Merci, m'dame. Je n'y manquerai pas.

— Oh, Odd, lui cria-t-elle alors qu'il était déjà sur la route, fais attention. Ce sont des lions, tu sais. » Mais il était déjà trop loin pour l'entendre. Nous le regardâmes jusqu'à ce qu'il eût disparu dans une courbe de la route, inconscient de la menace dont il était chargé, les chrysanthèmes qui brûlaient, grondaient et rugissaient parmi les sombres reflets virides du crépuscule.

(1967)

DANS LA MÊME COLLECTION

ANGLAIS

CAPOTE *One Christmas | The Thanksgiving visitor* | Un Noël / L'invité d'un jour

CONRAD *Typhoon* | Typhon

DAHL *Two fables* | La Princesse et le braconnier

FAULKNER *As I lay dying* | Tandis que j'agonise

SWIFT *A voyage to Lilliput* | Voyage à Lilliput

UHLMAN *Reunion* | L'ami retrouvé

ALLEMAND

FREUD *Ein Kindheitserinnerung des Leonardo da Vinci* | Un souvenir d'enfance de Léonard de Vinci

GOETHE *Die Leiden des jungen Werther* | Les souffrances du jeune Werther

GRIMM *Märchen* | Contes

HANDKE *Die Lehre der Sainte-Victoire* | La leçon de la Sainte-Victoire

KAFKA *Die Verwandlung* | La métamorphose

RUSSE

GOGOL *Записки сумасшедшего | Нос | Шинель* | Le journal d'un fou / Le nez / Le manteau

TOURGUÉNIEV *Первая любовь* | Premier amour

ITALIEN

GOLDONI *La Locandiera* / La Locandiera

MORAVIA *L'amore conjugale* / L'amour conjugal

PIRANDELLO *Novelle per un anno* / Nouvelles pour une
année (choix)

ESPAGNOL

BORGES *El libro de arena* / Le livre de sable

CARPENTIER *Concierto barroco* / Concert baroque

CERVANTES *Novelas ejemplares* / Nouvelles exemplaires
(choix)

VARGAS LLOSA *Los cachorros* / Les chiots

Dernières parutions

Impression Brodard et Taupin,
à La Flèche (Sarthe),
le 25 septembre 1991.
Dépôt légal : octobre 1991.
Numéro d'imprimeur : 6480E-5.

ISBN 2-07-038437-3 / Imprimé en France.

53849